NADA A PERDER

MOMENTOS DE CONVICÇÃO QUE MUDARAM A MINHA VIDA

Edir Macedo

NADA A PERDER

MOMENTOS DE CONVICÇÃO QUE MUDARAM A MINHA VIDA

Planeta

Trabalho publicado em colaboração com Editora Planeta do Brasil Ltda – Brasil

Copyright © Edir Macedo, 2012

Adaptação para o português de Portugal: Paula Medeiros
Revisão: Ângelo Ferreira de Souza
Projeto gráfico e Diagramação: Thiago Sousa | all4type.com.br
Capa: Morais
Imagem de capa: Demetrio Koch
Fotos de miolo: Arquivo Diário SP, Lumi Zúnica, Evelson de Freitas/AE, Demetrio Koch, José Célio, Pauty Araújo, Arquivo pessoal, Reprodução TV Record e CEDOC / Unipro

Colaboração: Karla Dunder, Marcus Souza, Anne Campos, Isney Savoy, Vagner Silva e Leandro Cipoloni
Agradecimentos: Cristiane Cardoso, Renato Cardoso, Edna Macedo, Marcus Vinicius Vieira, Clodomir Santos, Romualdo Panceiro, Celso Junior, Guaracy Santos, Honorilton Gonçalves, Marcos Pereira, Luiz Moraes, Adriana Guerra, Rita Cruz, Terezinha Rosa Silva, Mariléa Sales, Alba Maria, Albino da Silva e Sheila Tavolaro

2012
Todos os direitos desta edição reservados à
EDITORA PLANETA DO BRASIL LTDA.
Avenida Francisco Matarazzo, 1500 – 3o andar – conj. 32B
Edifício New York
05001-100 – São Paulo – SP
www.editoraplaneta.com.br
vendas@editoraplaneta.com.br

© 2013, Editorial Planeta Mexicana, S.A. de C.V.
Bajo el sello editorial PLANETA M.R.
Avenida Presidente Masarik núm. 111, 2o. piso
Colonia Chapultepec Morales
C.P. 11570, México, D.F.
www.editorialplaneta.com.mx

Primera edición: enero de 2013
ISBN: 978-607-07-1496-2

Impreso en los talleres de Litográfica Ingramex, S.A. de C.V.
Centeno núm. 162, colonia Granjas Esmeralda, México, D.F.
Impreso en México – *Printed in Mexico*

Sumário

Ao meu Deus, Senhor da minha vida.
Nada do que aconteceu seria possível sem o Espírito de Deus.

Introdução

Existem duas maneiras de olhar para o passado. A primeira é relembrar os momentos vividos, agonizando-se com as marcas de sofrimento e traumas jamais apagados da memória, tornando-se escravo de lembranças difíceis e dolorosas. A outra forma de olhar para trás é absorver lições do que passou e trazê-las para o presente transformando-as em aprendizagens. Usar a fé nos ensinamentos bíblicos para compreender que as tribulações recordadas produzem perseverança, a perseverança produz a experiência e a experiência produz esperança (Romanos 5.3,4).

O profeta Moisés, inspirado por Deus, provocava a lembrança do povo de Israel diante de situações de perigo ou incerteza em quatro décadas de fuga pelo deserto. Ao estabelecer as leis para os hebreus, determinou que sempre fosse feita uma recordação às futuras gerações: "Quando teu filho, no futuro, te perguntar, dizendo: Que significam os testemunhos, e estatutos e juízos que o Senhor, nosso Deus, vos ordenou? Então, dirás a teu filho: Éramos servos de Faraó, no Egito; porém o Senhor de lá tirou-nos com poderosa mão. Aos nossos olhos fez o Senhor sinais e maravilhas, grandes e terríveis, contra o Egito, contra Faraó e toda a sua casa" (Deuteronómio 6.20-22).

Assim, dou início a esta primeira obra com as memórias da minha vida. Serão três livros para contar os desafios do começo desse percurso, a origem e a árdua construção dos 35 anos da Igreja Universal do Reino de Deus, a nossa trajetória de batalhas e conquistas marcada por episódios decisivos e inesperados, mas, sobretudo, para narrar as minhas experiências espirituais nunca antes reveladas com tanta descrição de detalhes.

Nada a Perder não é uma simples retrospetiva. Não sei viver do passado. Eu olho para frente. Por isso, esta obra projeta-se para o futuro, com o objetivo de reunir e divulgar experiências pessoais para alicerçar a crença dos que seguem firmes a fé cristã e alcançar os que se consideram perdidos.

O livro não segue uma precisa ordem cronológica, escrevi a maioria dos capítulos fora de sequência, de forma temática. Abordo os assuntos de modo individual com o objetivo de extrair ensinamentos práticos da crença na Palavra de Deus, vividos no meu dia a dia. Esta também não é uma exposição convencional de quem eu conheci ou daquilo que fiz ao longo das últimas décadas, por isso há uma série de pessoas próximas e anónimos que não estão presentes nestas páginas. A intenção principal desta obra é registar com as minhas próprias palavras os momentos de convicção que transformaram a minha vida e que podem ajudar tantas pessoas a encontrar o maior significado das suas existências.

Nada a Perder se baseia principalmente nas minhas lembranças e nas de Ester, fiel companheira desde o início deste percurso percorrido. Com a ajuda do jornalista e escritor Douglas Tavolaro, que convive connosco há nove anos, fundamentei a minha narração com o auxílio de relatos dos primeiros fiéis, obreiros e pastores, depoimentos dos meus familiares, documentos antigos, reportagens e fotos da época. Em alguns casos, contei apenas com a minha memória.

Nas páginas seguintes, fiz o melhor para escrever a respeito das lições que esta caminhada de fé me ensinou. Peço a Deus que a minha experiência seja útil para o leitor tomar decisões na sua própria vida que lhe possibilitem alcançar o que há de mais relevante neste mundo: a conquista da salvação eterna da alma.

Agradeço ao Espírito de Deus pela oportunidade de compartilhar a minha história com cada um de vocês.

CAPÍTULO 1

MEUS ONZE
DIAS NA CADEIA

DOA A QUEM DOER

E u tenho prazer em admirar o céu. O sol, as nuvens, a lua, as estrelas. Tudo forma uma composição irre-tocável, símbolo do que há de mais sublime no dom da perfeição. O céu representa bem a transformação de um planeta que era sem forma e vazio.

Por onde viajo, passo horas a olhar para o horizonte azul, meditando em Deus. Sozinho, sento-me numa cadeira, em silêncio, sem ler nem ouvir som nenhum, sem conversar com ninguém. Geralmente faço isso ao amanhecer. O sol aquece o meu corpo. Medito nas promessas, na compaixão, nas vonta-des divinas.

Olho para dentro de mim.

É o meu momento com Deus. Jesus "se retirava" para o deserto para orar. Ninguém o acompanhava, ele seguia só para viver a sua intimidade de Espírito. Era o alimento de sua alma. Sigo esse exemplo. Os momentos de silêncio, con-templando a beleza do céu, fazem-me ouvir Deus. Fazem-me pensar. E trazem-me memórias.

O céu também é a expressão da liberdade. Quando eu era criança, tinha pavor de pensar na privação. Dizia aos meus irmãos que preferia levar umas bofetadas do meu pai a ser proibido de sair de casa. A clausura agoniza-me. Que ser humano consegue viver feliz sem poder exercer a liberdade de ir e vir? Sem ter a simples opção de escolha de entrar e sair em qualquer lugar e no momento que desejar? Parecem coisas simples, elementares, mas, apenas por um instante, imagine-se a viver sem o controle das suas atitudes. Foi a liberdade que sacrifiquei para ver uma mudança radical na minha trajetória e no futuro da Igreja Universal.

Em 1992, quando eu estava em São Paulo, pregava todas as quartas-feiras e todos os domingos numa pequena e calorosa Igreja situada na rua Promotor Gabriel Nettuzzi Perez, no bairro de Santo Amaro. Na época, era lá que ficava o nosso maior templo no Brasil. Habitualmente, seguia para a reunião com a minha esposa, Ester, e a minha filha Viviane, a do meio, que naquele tempo tinha 17 anos. Era a única que vivia comigo. Cristiane, a mais velha, morava e estudava nos Estados Unidos. Moisés, o meu filho adotivo, também.

Estava uma manhã luminosa em São Paulo, um domingo especial, como de costume. Eu acordei cedo para ler a Bíblia e preparar-me para a reunião.

O culto durou duas horas. Falei muito sobre a importância de manter uma aliança com Deus e como devemos confiar acima de tudo, e em quaisquer situações, porque sempre o que Deus faz é bom e coopera para o nosso bem. Para terminar a reunião, orei por todos, pedindo que fossem para casa em paz e segurança e que tivessem uma semana feliz. O culto havia sido maravilhoso. A palavra de salvação havia sido semeada. O espírito da fé havia sido transmitido com vivacidade.

Mas era a minha vez de ser provado na prática. Era a minha vez de provar o verdadeiro tamanho da minha confiança.

Deixei o altar, despedi-me de alguns pastores e, como fazia sempre aos fins de semana, convidei os meus amigos Laprovita Vieira e a sua mulher Vera para almoçarem em nossa casa. Já no carro, pedi a Laprovita para me seguir.

O começo da tarde do dia 24 de maio de 1992, mais precisamente uma e meia da tarde. Como esquecer essa data e esse horário?

Era um tempo de ataques à Igreja Universal, a mim e a minha família. Desde que o trabalho começou a crescer, entramos na mira. O Clero Romano mandava e desmandava no Brasil, mais do que nos dias de hoje. Eram políticos de prestígio, empresários da elite económica e social, intelectuais, juízes, desembargadores e outras autoridades do Poder Judiciário que tomavam decisões sob a influência do alto comando católico. A Cúria não admitia o surgimento de um povo livre da escravidão religiosa por eles imposta. Mas eu nunca olhei para isso. A minha missão sempre foi uma só: pregar a verdade do Evangelho a todos os que sofrem.

Antes mesmo da compra da Rede Record, em novembro de 1989, já tínhamos sido vítimas de diversos tipos de abuso. A polícia tinha invadido o meu apartamento, os escritórios da Igreja e as empresas relacionadas que existiam para apoiar o trabalho evangélico. Sabia que as perseguições jamais teriam ponto-final, mas nunca imaginei que essas agressões terminariam em prisão.

O meu nome foi difamado anos seguidos. Para quem me odiava, bispo Macedo era sinónimo de bandido. E isso não mudou até hoje. Muita gente nem sequer me conhece e deseja o pior para mim. Tudo bem, a própria Palavra de Deus alertava-me sobre isso. Muitos que se convertiam mudavam de opinião após conhecerem de perto o trabalho da Igreja e as minhas intenções. Não era um problema, também era assim com Jesus. Mas nunca aceitei a ideia de que a Justiça brasileira seria influenciada pelas vontades do Vaticano ou pela pressão da imprensa manipulada por eles.

A Igreja Universal já estava em quatro continentes e avançava sem parar. Novas almas estavam a ser ganhas em todo o mundo. Milhares de pastores e obreiros levantados, milhões de fiéis multiplicando-se. A Record tinha sido comprada há apenas três anos, ainda estávamos a pôr a empresa em ordem, mas já prometia um grande desenvolvimento. Todos sabiam que a Record tomaria o rumo de um crescimento sustentável e irreversível, como de fato aconteceu.

E eu paguei por tudo isso.

Eu estava no meu carro a alguns quarteirões do estacionamento da Igreja e, na rua São Benedito, ouvimos um barulho estranho. A imagem permanece estática na minha mente: dezenas de viaturas da polícia corriam na nossa direção. Ester perguntou-me se eu tinha cometido alguma infração de trânsito.

— Não, Ester. Estou a conduzir normalmente.

— Mas o que é isto então? – questionou Ester.

Não tive tempo de responder. As viaturas, com os ruídos da sirene, acelerando ferozmente, mandavam-me parar.

Eles acenavam com violência. Alguns colocavam a cabeça para fora da janela do carro e gritavam comigo.

O carro é cercado. Metralhadoras, revólveres e um tremendo aparato de armas pesadas apontadas a mim e à minha família. Que mal poderíamos fazer? Eu, Ester e a minha filha de 17 anos. Quase perdi a conta da quantidade de polícias. Eram cinco delegados e 13 agentes civis e federais.

Parei o carro e levantei os braços. Não entendia o que estava a acontecer. "Meu Deus, o que é isto?", pensei. "Meu Deus!"

A cena mais parecia um rapto do que uma abordagem policial. Logo recebi voz de prisão e fui arrastado em direção a uma das viaturas. A minha Bíblia ficou no banco de trás, bem ao lado da Viviane. Não demonstrei resistência. E nem poderia.

Laprovita, deputado federal na época, tentou reagir e pediu à polícia para ter calma. Mostrou o documento de identidade parlamentar, que foi atirado ao chão pelos polícias. Não houve calma, só confusão e gritaria por todos os lados. A minha vontade era revoltar-me com todos. Era soltar-me e proteger a minha família.

Antes de entrar na viatura, virei o rosto rapidamente para trás. Por alguns segundos, vi a Ester e a Viviane a gritar, pedindo explicações aos polícias, mas ninguém parecia ouvi-las. Um pequeno tumulto formou-se na rua. O carro da polícia saiu disparado, comigo detido entre dois agentes armados.

A expressão de desespero das duas marcou as minhas lembranças.

Senhor, onde estou?

Naquela tarde de domingo de 1992, eu estava a caminho da prisão. Não sabia para onde seria levado, apenas que era o trajeto da cadeia. O rumo do cárcere.

As minhas pernas tremiam. Meu coração palpitava, mas segui calado na viatura que disparava em alta velocidade. Apesar do clima fora de controle, havia paz no meu interior. Num momento de descuido, o polícia à minha esquerda deixa cair as algemas sobre os meus pés. Os agentes mostravam-se nervosos, tensos e descontrolados.

Eu não conseguia entender. Só sentia indignação. Pensava onde a minha família estaria naquele momento. Pensava na Ester e na Viviane, no meio da rua, desesperadas. Pensava na Igreja. Pensava no nosso povo. Pedia a Deus para me guardar. Pedi que nos protegesse, a mim e à minha família.

Quem seria capaz de enfrentar uma situação destas sem a proteção de Deus? Caiam mil ao meu lado e dez mil à minha direita, eu não serei atingido. Mesmo sozinho numa "batalha perdida", o profeta Eliseu tinha consigo tropas maiores e mais fortes do que um exército inteiro, com forças militares imbatíveis, sob o comando do rei da Síria. Era um exército de cavalos e carros de fogo somente possível de vislumbrar com os olhos espirituais. Era preciso ver o invisível.

Os provérbios do rei Salomão revelam Deus como o escudo para os que caminham na sinceridade. Escudo, defesa, auxílio. Amparo.

A sinceridade sempre foi um dos pilares do ofício da Igreja Universal. Desde os primeiros dias de evangelização, no fim dos anos 1970, eu repetia sempre aos pastores que o sustento da nossa crença deveria ser a honestidade diante do povo e, principalmente, diante de Deus. Eu mesmo sempre fui assim.

Odeio fingimentos, farsas, falsidades. Eu largaria a minha profissão de fé como pastor ou bispo se, um dia, tivesse que apelar para emoções ou sentimentalismos hipócritas para garantir membros na Igreja. Pastores que choram no altar apenas para comover quem assiste. Verdadeiros artistas que fazem qualquer papel. Ora são heróis, ora são bandidos. Isso provoca-me furor. Fico mesmo com raiva! Raiva de quem usa esse artifício sensacionalista e barato para manter abertas as portas do seu templo ou da sua congregação.

Eu não abro mão disso. O meu ministério e a minha vida pessoal foram e sempre serão orientados pela sinceridade. Quem me conhece de perto sabe do que estou a falar. A verdade acima de tudo. Custe o que custar, mesmo se, em um primeiro momento, isso possa significar perdas para a Igreja – de membros, de ofertas e seja mais o que for. Não importa. A verdade liberta e a fé sincera nos assegura a volta por cima. Sempre foi assim comigo ao longo destas décadas de disposição à obra de Deus.

Caminho na sinceridade, como afirmou Salomão. Por isso, eu confiava na proteção divina mesmo no meio de toda a barbaridade daquela detenção injusta e cruel.

Depois de me prenderem na rua, a primeira paragem da viatura foi no DEIC, o conhecido Departamento Estadual de Investigações Criminais. Um caminho de 20 quilómetros que foi cumprido em poucos minutos. Eu estava vestido com um fato cinza, camisa branca e gravata vermelha. A mesma roupa com a qual tinha feito a reunião em Santo Amaro. Desceram-me da viatura e empurraram-me para dentro do prédio da polícia. Nos poucos passos que dei em direção à porta de entrada, vi um cinegrafista com o colete de uma das principais emissoras de TV no país. Era a única equipa da imprensa no local. Estranho, não?

Somente dentro do prédio me informaram que havia um mandato de prisão para mim. A minha cabeça ia longe: pedido de prisão? Como assim? Qual era a base legal? Como um juiz teria autorizado essa decisão? O que poderia justificar a minha detenção? O que aprontaram desta vez?

Muitas perguntas ficaram sem resposta.

Permaneci horas sentado numa das salas de investigação do DEIC.

Mudo. Eu percebia uma movimentação contínua. Eu, que sempre zelei por pagar as contas em dia, que tinha pavor só de pensar em ter pagamentos em atraso, estava preso. Algemado como se fosse um marginal perigoso. De repente, outros polícias informam-me que seria enviado ao distrito onde me manteriam retido durante as próximas semanas.

Cheguei quase no início da noite à cadeia de Vila Leopoldina, na zona oeste de São Paulo. Avenida Doutor Gastão Vidigal, 307, 91º Distrito Policial. Este era o endereço onde viveria os meus 11 dias de castigo.

Era lá que viveria os 11 dias mais terríveis da minha vida. Onze dias de solidão. Um antes e um depois. Meu Deus, o Espírito do Altíssimo, haveria de me guiar neste deserto. Eu clamava por uma luz no inferno da escuridão que tomava conta daqueles momentos.

Na porta da cadeia, desci escoltado e novamente empurrado às pressas por investigadores da Polícia Civil. Eram dois homens que faziam questão de mostrar as armas que tinham presas na cintura.

Caminhamos até à última porta do corredor principal do distrito. Um portão de ferro separava o pátio do corredor das celas. A separação da vida em liberdade para a angústia da reclusão. A fronteira que distingue o cidadão de bem dos que se entregam à marginalidade. A honra desfeita. A dignidade lançada na valeta.

O portão de ferro abriu-se para mim.

— Senhor, Senhor, onde estou? – indagava-me, em pensamento, sem parar.

José tinha sido preso. Jeremias lançado nas celas de um calabouço. Daniel encarcerado numa cova. Pedro sofreu as aflições de virar prisioneiro. A Igreja perseverou em oração e uma luz resplandeceu na cadeia. Paulo e Silas foram lançados para a masmorra e agredidos. A prisão tremeu quando eles oraram.

Como reagir, à luz da fé, ao tornar-se personagem de um drama real?

As quatro celas estavam lotadas. Mais de 20 presos abarrotavam o espremido espaço. Vi a cela onde passaria a minha primeira noite atrás das grades. Entrei.

Foi inevitável: os meus olhos percorreram o ambiente sufocante. Tudo era sombrio. Sem janelas, luz, sol. Sem céu.

O ar pesava. O cheiro forte incomodava. Foi possível entender a revolta da população prisional no Brasil.

Estava de pé, meio imóvel, como se estivesse parado no tempo.

Ainda na cela, alguns presos reconheceram-me.

— Bispo! Bispo! – grita um dos guardas prisionais.

Ele avisou-me que eu precisava de conversar com o delegado responsável pela ala, Darci Sassi. Educado, falou-me sobre as regras de funcionamento da cadeia e as normas de conduta dos presos. Abaixei a cabeça e concordei com tudo, sem questioná-lo. O delegado tentou confortar-me dizendo que a Justiça era assim mesmo, nem sempre funcionava como deveria ser. Olhei bem fundo para ele e disse que enfrentaria tudo aquilo de cabeça erguida porque tenho fé no meu Deus.

Fui levado de volta à cela. Não havia lugar para dormir, as camas já estavam ocupadas e o chão, tomado de colchões. A cela era para presos com ensino superior. O chefe dos presos aproximou-se e também me explicou as regras do dia a dia. Só existia uma latrina para todos os reclusos. Ele aconselhou-me a lavar as mãos na velha pia antes de puxar o autoclismo.

Sentei-me num pequeno espaço livre da cela, esperando para ver como seria a noite. Horas mais tarde, recebi um pequeno colchão e, com a ajuda dos outros presos, arranjei um canto para me acomodar. Estiquei o colchão no piso entre dois beliches ocupados por outros reclusos.

Começou a minha primeira noite atrás das grades.

Não jantei, apenas alimentei os meus pensamentos. Deitado, lutando para encontrar o sono, as memórias remoídas.

Raciocinei mais profundamente sobre a grandeza de Deus e os seus desígnios. Como compreender certas situações que nos atingem como um relâmpago no meio de uma tempestade? Pensei no poder de libertação do Espírito Santo. Lembrei-me dos milhares de milagres que vi acontecer na Igreja Universal desde que preguei no velho coreto do Méier, no Rio de Janeiro. As lembranças da funerária que se transformou numa Igreja calorosa, palco de arrependimentos e vidas nascidas de novo.

O estádio do Maracanã e outros em todo o Brasil entupidos de gente rendendo-se ao maior de todos os milagres: a conquista da salvação da alma.

A fraqueza do homem e a fidelidade divina. O salmista declamou que Deus faz justiça aos oprimidos. Eu estava oprimido. Ester, as minhas filhas, a minha família, estavam oprimidas. O Senhor liberta os encarcerados, levanta os abatidos e ama os justos. Eu estava clamando por justiça.

Mas era preciso esperar. Confiar com todas as minhas forças.

Juramento é juramento!

A madrugada na cela foi abafada. Quando eu tentava fechar os olhos, um ou outro preso passava por cima de mim, pisando o meu colchão. Eu estava bem no caminho da latrina.

Ao amanhecer, fui avisado que receberia várias visitas ao longo do dia. Ester foi a primeira a encontrar-me naquela manhã.

Eu estava calmo. Após um breve café preto, fui levado para uma pequena sala da ala onde ficaria mais a vontade com as minhas visitas. Ester entrou lentamente pela porta e logo desabou. Abatida, não suportou ver-me preso. Chorou em silêncio.

O choro da injustiça.

— Vais para casa hoje, não é? – perguntou-me.

— Não sei, acho que não – respondi, contrariado.

Mais calma, contou-me o sofrimento daquela madrugada e como ela e a Viviane se uniram na dor.

Imaginar aquelas cenas incomodou as minhas memórias.

Até hoje, Ester costuma dizer que a prisão foi tão marcante que parece ter acontecido ontem. Foi mesmo como um terrível susto que nos atingiu em cheio.

Encontrar Ester deu-me forças para suportar a prisão. Quando ninguém conseguia acalmar-me, ela sempre tinha uma palavra de apoio. Um olhar, um abraço, um toque. Eu costumo dizer que Ester ficou presa comigo durante os 11 dias. Era a outra perna que me apoiava, o meu equilíbrio. Sem ela, seria ainda mais difícil vencer tantos obstáculos.

Antes de roupas limpas e produtos de higiene, pedi uma Bíblia à Ester. Mais até do que o afago de uma esposa tão amorosa, eu não teria forças para suportar os dias preso sem a Palavra de Deus.

O ânimo de que eu precisava estava no que o Espírito de Deus me diria na leitura do texto sagrado. Eu precisava de socorro, de um refresco, de uma direção. Luz para os meus caminhos e lâmpada para os meus pés. A Bíblia sempre foi uma bússola na minha vida desde que me entreguei ao Evangelho, guiando as minhas atitudes, os meus valores, a minha crença.

E foi ela que me fez entender que havia, dentre muitas, uma promessa clara para mim no meio do caos que me atingia. Logo saltou-me uma citação, com evidência: "Na minha angústia, invoquei o Senhor, gritei por socorro ao meu Deus. Ele do Seu templo ouviu a minha voz, e o meu clamor penetrou-lhe os ouvidos" (Salmo 18.6).

Eu compreendia o valor de uma promessa. O valor da palavra. Até mesmo entre os presos, como os que dividiam a cadeia comigo, existia a honra da palavra. No mundo do crime é assim: os bandidos criam e cumprem leis à risca usando somente o empenho da palavra. Não existe papel assinado nem firma reconhecida em cartório. Tudo funciona na base da palavra.

Ninguém deixa de cumprir essa lei porque sabe que o preço é a morte.

Se entre os criminosos é assim, imaginei na relação do homem com Deus. Não existe chance de um juramento divino falhar. Era necessário apenas manter a minha fé bem definida. Saber o que eu queria e no que eu cria, sem hesitar.

Mas o tempo é de Deus.

Ainda na manhã de segunda-feira, recebi a visita dos meus companheiros de Igreja. Os respetivos bispos e pastores abraçavam-me e tentavam animar-me. Aos poucos, fui conhecendo a verdade. E os absurdos por detrás do que tinha acontecido.

Primeiro, entendi que a ordem de prisão era para ser cumprida dentro da Igreja Universal na qual fiz a reunião na manhã daquele domingo. Imaginei como seria se a polícia invadisse o culto. Qual seria a reação do povo? Os pastores e obreiros poderiam tomar uma atitude impensada e as consequências, certamente, seriam trágicas. Concluí que Deus protegeu a Sua Igreja.

Foi somente na primeira conversa com os advogados que também entendi os motivos que fundamentaram o meu pedido de prisão. Fui acusado de ser charlatão, curandeiro e burlão.

Charlatão é o indivíduo que explora a boa-fé dos outros para obter vantagens, um fingido que aparenta ter habilidades que na verdade não possui. Curandeiro é quem exerce ilegalmente a medicina ou que finge tratar doenças por meio de rezas ou magias. E burlão é o famoso "171", aquele sujeito que conta mentiras para tirar proveito das demais pessoas, que adora passar os outros para trás.

Foi por isso que a Justiça ordenou a minha prisão. E também porque achava que eu fugiria do país, mesmo provando que eu possuía residência fixa e comparecendo fielmente a todos os interrogatórios. O mais revoltante, no entanto, foi ser acusado injustamente de crimes que não tinha cometido.

Quando ouvi aquelas explicações, a minha indignação cresceu. Os profetas curaram. Elias curou uma criança já sem vida depois de multiplicar a farinha e o azeite de uma viúva. Eliseu curou o comandante de um exército, herói de guerra, vítima de lepra. Ana, amargurada de espírito, foi curada da esterilidade e Samuel nasceu. Ezequias orou, com inconformismo e lágrimas, e foi salvo de uma enfermidade mortal.

O Senhor Jesus curou. Ele ordenou a um paralítico que se levantasse, tomasse o seu leito e fosse para casa. A mulher, vítima de uma hemorragia, teve o sangue estancado com um toque nas vestes santas. A criança atormentada de Cananeia sarou com os gritos de persistência da sua mãe. O cego viu com o lodo de um cuspe. Mais claro impossível. Os discípulos curaram. Eles impunham as mãos sobre os desfavorecidos para lhes dar saúde. Os sinais de cura seguiram a Igreja primitiva.

O que faço nos dias de hoje nada mais é do que pregar essa mesma fé: a confiança absoluta no poder sobrenatural da oração. Existem milhões de pessoas no Brasil e no mundo que podem comprovar a verdade desta fé que produz milagres. Eles existem, sim, e são reais na vida do povo da Igreja Universal.

E é por isso, aliás, somado à experiência de ter um encontro com Deus, que a maioria permanece nessa crença. Porque experimentaram algo além do comum quando ninguém lhes dava a menor importância ou atenção. Nem o governo, nem as autoridades, muitas vezes nem a própria família. Eram excluídos aqueles que descobriram uma razão de viver e hoje são homens e mulheres realizados, felizes e completos. Como convencê-los de que foram curados e salvos pelas mãos de um "curandeiro" e "charlatão"? Qual é o sentido em chamar de "aproveitador" quem apenas oferece ajuda?

Aliás, quantos milhões, talvez milhares de milhões de reais, o trabalho de libertação e cura da Igreja Universal já não fez e faz os governos pouparem só no Brasil? São adultos e crianças que estariam entupindo os hospitais públicos à procura de tratamento. Muitas são enfermidades com origem espiritual que não podem simplesmente serem erradicadas pelo esforço de médicos e enfermeiros.

Essa mesma economia beneficia os governos com o trabalho de recuperação de criminosos de norte a sul do nosso país. Eu recordo-me de dois casos verídicos que ilustram bem essa tese. Num deles, duas mulheres, cheias de joias e roupas de marca, passeavam em frente às vitrines de umas lojas famosas de uma rua de São Paulo. Conversavam alto. Um jovem, que por ali passava em direção ao trabalho, ouviu-as criticando-me duramente. Com raiva, diziam que eu era ladrão e apenas sabia explorar os miseráveis. O rapaz não se conteve.

— Desculpe, mas as senhoras não sabem o que dizem sobre esse homem. Se não fosse ele, as senhoras seriam assaltadas agora. Sou um ex-bandido. E fui recuperado por Deus na Igreja Universal – afirmou, diante do olhar assustado das mulheres. O jovem pediu licença e foi trabalhar. Noutra situação, desta vez no Rio de Janeiro, um executivo chamou o táxi ao sair do aeroporto. Disse a morada da sua casa ao motorista. Na primeira paragem do trânsito, o taxista começa a conversar. Sem perguntar a crença do passageiro, começou a falar de religião e disparou ataques contra a Igreja Universal. O longo discurso terminou com um "não é?". Como resposta, ouviu um pedido para que encostasse o carro.

— O Senhor deveria agradecer a Deus a existência dessa Igreja. Sou ex-assaltante de táxi. Você poderia estar a ser assaltado e talvez morto. Até logo – despediu-se, indignado. O homem pagou a deslocação até ali e apanhou outro táxi para casa.

A conclusão é simples: neste exato momento, quantos brasileiros estariam presos, pagoscom dinheiro público, ou cometendoraptos, roubos, assassinatos e outras barbaridades, se não fosse a intensa obra de ressocialização da Igreja Universal? Já pensou nisso?

Mas a pergunta que martelava nos meus pensamentos, nas horas seguintes às primeiras visitas na esquadra, era: afinal, por que estava eu a ser detido por algo que não fiz?

DAVID, GOLIAS E EU

Os dias demoravam a passar. Apesar da revolta que corroía o meu íntimo, eu procurava manter-me sempre sereno, concentrado, pensativo. Era o único caminho para superar a indignidade da cadeia. Quando não tinha ninguém de fora para conversar, consumia as horas falando com Deus e na meditação das escrituras. Não largava a Palavra de Deus um instante.

A sala reservada para as visitas tornou-se logo no meu espaço permanente. O delegado disse que não queria tumulto entre os presos devido à quantidade de pessoas que eu recebia. Mas, ainda assim, eu caminhava no pátio com os detidos durante o banho de sol.

Passei a ganhar a amizade deles. Fiquei surpreendido com a simpatia e a hospitalidade de cada um. Eram 22 presos, entre advogados, médicos, juízes, empresários e até políticos. A convivência foi pacífica. Falei da salvação do Senhor Jesus para muitos, até para alguns dos guardas.

Por isso, até hoje estimulo o serviço voluntário de evangelização nas prisões. Faço questão de acompanhar de perto os resultados do trabalho de milhares de pastores e evangelistas que, diariamente, apontam uma saída para quem padece no sistema penitenciário. O resgate acontece ali, no último degrau da exclusão social, no momento de maior agonia, quando a mulher, os filhos e os amigos rejeitam o detido. Não resta ninguém para ele a não ser Jesus. E então, o feito extraordinário de uma nova vida acontece.

Não são poucos os exemplos de recuperação de vidas graças ao apoio solidário e aos cuidados espirituais oferecidos pela Igreja aos detidos e às suas famílias. Muitos encontram conforto no mais profundo abismo de suas existências, castigados numa solitária ou isolados pelas mais temidas ameaças de morte. O Espírito de Deus através do Evangelho resgata essas pessoas produzindo uma surpreendente transformação de caráter, com uma reviravolta de personalidade, uma total modificação de hábitos e costumes, na maneira de ser e viver. São novos homens, mulheres e jovens, libertos da opressão da criminalidade, reintegrados no convívio social pela força da fé cristã.

Na primeira semana de prisão, autorizei a imprensa a fotografar-me atrás das grades. Estava sentado nos fundos da cela, com as pernas cruzadas, a ler a Bíblia. Tinha vestida uma camisa branca de manga curta e umas calças de fato cinzentas, que me foram entregues pela Ester. Paciente, passei a receber alguns repórteres. Na primeira entrevista que dei após ser preso, falei um pouco sobre o que tinha refletido nos dias anteriores. Pensamentos extraídos das páginas sagradas.

Diante de uma equipa de televisão, disse que estava a rerceber um batismo de fogo. Mesmo não merecendo, eu via-me como os apóstolos, porque estava a viver a mesma situação que eles nos tempos antigos. Era um privilégio. Sofrer como os homens de Deus sofreram no passado por um Senhor que eu abracei com todo o meu entendimento.

Falei mais. Afirmei que, no momento as pessoas podiam até nem entender, mas eu cria que tudo aquilo era para o bem. O bem da Igreja Universal, o bem da obra de Deus e o bem da fé de cada um de nós.

Mas eu queria ir embora para casa.

O tempo corria a conta-gotas. Cinco dias na cadeia e nada. Os advogados não traziam sequer uma notícia positiva. Todos os pedidos de liberdade tinham sido negados. A libertação parecia longe.

Sozinho, de noite, pensava no martírio que se arrastava. Clamava a Deus pedindo consolo para meu corpo e minha alma. Orava sussurrando palavras. Orava em pensamento. Orava sem parar.

Desabafar com Deus sempre foi uma das minhas armas. De defesa e de ataque.

Defendia-me ao dobrar os joelhos para enfrentar situações de desespero. Nessas horas que o céu se abre para quem suplica auxílio. Deus não está distante. Apesar de "habitar a eternidade, o alto e santo lugar", ele também está ao lado do "contrito e abatido de espírito" (Isaías 57.15).

E atacava ao estender as mãos contra as dúvidas que opримiam os meus pensamentos. Uma guerra incansável entre a luz e as trevas, a fé e o medo da incerteza. Os hebreus, liderados por Moisés na fuga da escravidão do Egito, morreram no deserto por duvidarem. A viagem de dois meses rumo à terra indicada por Deus ultrapassou 40 anos, devido aos murmúrios sem fim daquela gente.

A minha fé venceria as dúvidas. As minhas orações mostravam-me um só caminho: era preciso transformar os problemas numa grande oportunidade. Deus não fez o rei David. Golias, o gigante, e a afronta contra todo o povo de Israel é que fizeram. Abraão aproveitou a esterilidade de Sara para provar a sua fé irrestrita em Deus. Os desafios, as lutas, as dificuldades são chances para crescer.

E assim aconteceu comigo na cadeia.

A demora da Justiça em autorizar a minha libertação provocou circunstâncias surpreendentes. Cada vez mais pessoas, personalidades ou pessoas comuns, mesmo as que me criticavam, passaram a demonstrar apoio. Era informado o tempo todo sobre declarações favoráveis à minha liberdade dadas por autoridades, políticos, artistas e até líderes de outras religiões.

Vi uma união ardente da Igreja Universal.

Pastores, obreiros e o povo em geral passaram a fazer vigílias na porta da cadeia de Vila Leopoldina. Eu percebia a corrente de fé que envolvia aquele lugar. Parecia perceber a oração de milhares de fiéis em meu favor.

Quando completei sete dias na cadeia, a delegada de serviço, Sílvia Souza Cavalcanti, procurou-me para dizer que estava preocupada com o crescimento dos manifestantes e pediu-me para gravar uma mensagem de rádio a fim de acalmar os ânimos. Logo de seguida, cumpri o pedido.

Os boatos diziam que os membros da Igreja Universal planeavam invadir a cadeia. E a polícia, é claro, temia isso.

Pedi ao povo para continuar as correntes de orações, jejuns e suplicando a Deus que eu ganhasse a liberdade o mais rápido possível, mas que mantivesse a cabeça no lugar. E agradeci o carinho de todos no meio de tanta tribulação. Foi curioso já que eu, que também necessitava de ser acalmado, tive de ajudar a arrefecer os nervos de toda aquela gente.

Certo dia, mais de mil pessoas, que protestavam na porta da cadeia, abraçaram o edifício numa enorme corrente de mãos dadas. Estava deitado na cama, recolhido, quando recebi a notícia.

Fiquei comovido com a iniciativa.

O meu corpo já emitia sinais de esgotamento. Quase não comia nada, apenas ingeria água, muita água. O descontrolo emocional tirou-me toda a vontade de me alimentar.

Muitas vezes ouvia um coro de louvores vindo do lado de fora da cadeia, resultado do protesto dos membros da Igreja. O delegado contou-me que, ao olhar pela janela, via inúmeras idosas, muitas com a saúde frágil, a chorar com sinceridade e a orar durante horas e horas sem parar. Dia e noite, muitas vezes até de madrugada, formavam rodas no passeio, de mãos dadas, pedindo uma resposta de Deus para mim.

Pessoas que eu nunca conhecerei e sequer saberei o nome, mas, certamente, preservarei uma gratidão especial por cada uma delas durante todos os meus dias neste mundo.

No fim da primeira semana preso, deixei a cadeia para prestar depoimento. Fui colocado no banco de trás da viatura policial, sempre com a Bíblia nas mãos. Já no tribunal, fiquei frente a frente com o juiz que assinou o meu pedido de prisão. Era um rapaz jovem, tinha pouco mais de 30 anos, substituto do titular da vara criminal que emitiu o mandato. No meio do interrogatório, o juiz fez uma pergunta intrigante e abusiva, já que não tinha a menor ligação com as acusações pelas quais eu respondia.

Ele queria saber se havia diminuído o povo da Igreja Universal depois da minha prisão. Fui seco. Disse que não, pelo contrário, multiplicou-se. Os templos, de facto, começaram a abarrotar de gente, muitos curiosos com a notícia e outros em apoio à luta da Igreja.

Mas outro facto também me despertou a atenção no tribunal. Estranhamente, um homem de batina, provavelmente um padre ou outro integrante da ordem eclesiástica do Vaticano, acompanhava o meu interrogatório e fazia anotações ininterruptas. Nunca era permitida a entrada de ninguém nos depoimentos, mas naquele dia a cena foi diferente.

Esta cena, até hoje, ainda não foi devidamente explicada.

Uma voz dentro de mim

Eu sentia revolta. Não contra as autoridades, as instituições, o governo ou a polícia, mas contra a injustiça. Jesus era revoltado. Sozinho, ele expulsou os vendedores do templo de Jerusalém com um chicote. Era impossível tolerar uma armação com tantas iniquidades.   Na cadeia, o prolongamento da angústia. Num dos dias, recebi uma inesperada visita vinda especialmente do Rio de Janeiro: a minha mãe, Eugênia Macedo Bezerra, que na época tinha 71 anos. Assim que ela me viu preso, chorou sem parar. Eu pousei a mão nos seus ombros e disse-lhe:

— Calma, mãe. Deus está connosco.

— Eu creio, meu filho – ela respondeu e abraçou-me. – Continuo a orar por ti todas as noites, querido.

Sempre que a minha mãe entrava ou saía da cadeia, era cercada por um exército de repórteres pedindo-lhe uma entrevista. Um constrangimento difícil de aturar para alguém naquela idade. A minha irmã. Eris Bezerra, que morou com minha mãe nos seus últimos anos de vida, lembra que a imprensa humilhava a Igreja Universal e a nossa família nas suas reportagens sujas, e isso incomodava muito a nossa mãe.

Mas ela permaneceu firme ao meu lado o tempo todo, sempre a dar-me apoio e força para seguir em frente.

O amor incondicional da minha saudosa mãe, que faleceu cinco anos depois, fortaleceu-me ainda mais atrás das grades. O juramento escrito pelo profeta Isaías era claro: mesmo se uma mãe se esquecesse do filho recém-nascido que ainda mama, Deus não se esqueceria de mim.

O meu nome, como o de todos os que creem, está gravado nas palmas das mãos de Deus.

No décimo primeiro dia de cadeia, acordei confiante de que o pesadelo estava próximo do fim. No início da tarde, chegou a notícia. O juiz tinha, finalmente, aceite o *habeas corpus*. O tribunal de alçada criminal de São Paulo tinha votado unanimemente pela minha libertação.

Alívio. Respirei fundo. Deus, enfim, tinha atendido ao meu clamor.

Não sabia se devia rir ou chorar, queria apenas arrumar as minhas coisas e sair dali. Queria a minha liberdade. E ela chegou pela porta da frente da cadeia.

Antes de ir embora, pedi para os pastores e obreiros para distribuírem dezenas de Bíblias para os presos. Na cela, recolhi roupas e objetos pessoais com o auxílio da Ester. Vesti um fato azul-marinho e uma camisa branca. Despedi-me dos guardas, dos companheiros de cela, agradeci o convívio daqueles 11 dias, cumprimentei um a um, e parti.

Polícias e investigadores do distrito organizaram uma corrente humana para a minha saída. Era pouco mais de sete da tarde.

Foi um tumulto geral. Quase me espremeram, todos queriam gravar uma entrevista, registar a minha imagem ou conseguir uma foto. Eu ouvia gritos de comemoração dos membros da Igreja. Eufóricos, festejavam e tentavam cumprimentar-me com vibração.

Impossível esquecer esse momento.

Deixámos a cadeia apressados. Era hora de ir para casa. Ou melhor, hora de voltar para a Igreja. Não poderia pisar o meu lar antes de agradecer a Deus por me ter livrado de tanto sofrimento. Resolvi ir direto para a Igreja de Santo Amaro.

— De lá saí para a cadeia e para lá voltarei – disse para o meu irmão Celso Bezerra, que, sentado no banco do passageiro, orientava o motorista.

No banco de trás, segurava firme nos braços de Ester. O calor da minha esposa, a libertação de Deus. Foi impossível não recordar um facto singular: exatamente quatro meses antes, eu tinha iniciado a composição de uma música inspirada nas palavras do profeta Isaías, em que ele exorta o povo de Israel a confiar em Deus nas batalhas contra os seus inimigos.

No dia 10 de janeiro do ano da minha prisão, a canção ficou pronta e ganhou o título de "Eu sou contigo". A letra era o conforto exato para o meu espírito:

A quem livrei do abismo
Do lugar mais longínquo da Terra
Eu disse tu és meu servo
Eu te escolhi

Não temas porque não te rejeitei
Eu sou contigo
Não temas nem te espantes
Eu sou teu Deus
Eu sou o teu amigo
Te fortaleço e te ajudo
E te sustento com o Meu poder
Eis que serão
Envergonhados e confundidos
Todos os que te perseguirem
Serão todos reduzidos a nada
Aqueles que demandam contra ti

Eu sou contigo
Não temas nem te espantes
Eu sou teu Deus
Eu sou o teu amigo
Te fortaleço e te ajudo
E te sustento com o Meu poder
Estou contigo

A canção era a minha vida, o que eu mais necessitava ouvir de Deus naquele momento.

Quase nem vi passar o tempo do caminho da cadeia até à Igreja. Ao descer do carro, caminhei lentamente para o altar.

O altar, o lugar mais alto do templo. Lugar de sacrifício, de renúncia, de entrega. Lugar de proximidade com o meu Senhor.

Eu estava de volta ao meu esconderijo. O esconderijo dos homens de Deus. A minha proteção, o meu escudo, o meu refúgio.

Tudo tinha passado. Deus estava comigo.

Ajoelhei-me de costas para o povo, fechei os meus olhos e falei para Deus:

— Muito obrigado. Muito obrigado, Senhor.

Ao levantar-me, vi um aglomerado de pessoas. Uma multidão de pé que se perdia no fundo da Igreja. Pastores, obreiros, o povo. Homens, mulheres, crianças. Todos aplaudiam sem parar. Fiz silêncio por alguns segundos. E apenas disse:

— Toda a honra para o nosso Deus.

Dias depois, já em casa, pensei no sentido de tudo que vivi naqueles 11 dias, algo que faço até hoje em alguns momentos de meditação. Imagine recordar tantos acontecimentos amargos 20 anos depois, quando a Justiça já me considerou completamente inocente. Uma por uma, todas as denúncias de crime foram julgadas inverídicas, sem nenhuma base de verdade. Fui absolvido de todas. E o pior: de tempos em tempos, mesmo duas décadas depois, ainda tentam repetir as mesmas acusações de sempre.

Não é fácil tolerar. Quando sofri os primeiros ataques logo após a compra da Record, a situação tornou-se tão penosa que, confesso, eu desejei nunca ter começado aquela empreitada. Foi muito duro. Pensei nisso várias vezes atrás das grades.

"Meu Senhor, por quê? Por quê? O que o Senhor quer da minha vida?", perguntei, no meu íntimo. "Será que Deus não estava mais comigo? Ele abandonou-me? O que foi feito da Sua misericórdia e do Seu poder? E o que preguei esses anos todos?"

Eu queria crer na minha mente, mas, muitas vezes, algo parecia resistir no meu coração.

Sempre procurei ajuda na Palavra de Deus, e a certeza e a confiança logo expulsavam as dúvidas do meu interior. Era a ação do próprio Espírito Santo. "Tudo se vai resolver, tu vais vencer!", uma voz gritava forte dentro de mim, no meu intelecto.

Diante das amarguras, o conflito vinha à tona: os meus sentimentos guerreavam com a minha fé. Mas a Bíblia trazia-me renovação: Josué deveria ser forte e corajoso para tomar posse da promessa de Deus. Forte e corajoso, eu seria.

Segui esse caminho da convicção. A minha vida e os 35 anos da Igreja Universal são provas reais da fé que transforma situações e eleva-nos até ao céu.

CAPÍTULO 2

COMO ENCONTREI DEUS

O DESTINO DA MINHA ALMA

"Bispo, um milagre aconteceu na minha vida. Jesus salvou-me! Depois de ouvir os ensinamentos do Senhor, decidi entregar-me de verdade. Cheguei ao fundo, mas levantei-me. O Nosso Senhor teve compaixão de mim e salvou-me. Obrigado, alcancei a salvação."
(Marina de Fátima Conceição, 39 anos – São Paulo, SP)

Eu leio estas palavras com alegria. É apenas um dos milhares de comentários que recebo todas as semanas no meu blogue. A maioria expressa opiniões, compartilha pensamentos ou simplesmente reafirma as mensagens publicadas todos os dias. Mas nada mexe mais comigo do que quando leio experiências como a acima descrita. Não tenho vocabulário suficiente capaz de traduzir a satisfação que me envolve. Quando menos percebo, os meus olhos lacrimejam pelo contentamento de saber que mais uma alma foi resgatada do inferno.

Uma conquista sem preço expressa em termos simples e verdadeiros. Esta é a minha maior recompensa. Vale inteiramente o sacrifício a que me comprometo dia-a-dia, as intermináveis e espinhosas lutas que travo todas as vezes contra o reino das trevas. Existe uma batalha sangrenta, invisível e ininterrupta entre Deus e o diabo por cada alma.

Costumo sempre dizer que uma vida salva não tem valor. "Que dará o homem em troca da sua alma?", disse Jesus aos seus discípulos. Sobre dois irmãos que brigavam por uma herança, Jesus reforçou o valor da vida eterna. Ele encerrou a parábola com um alerta de arregalar os olhos. "Louco, esta noite te pedir-te-ão a tua alma. E o que tens preparado, para quem será?" (Lucas 12.20).

A morte neste planeta é o fim da linha. A Bíblia escancara, com impressionante nitidez, que nada nem ninguém pode mudar o rumo da alma após o último suspiro na Terra. Dois anjos buscaram a alma do mendigo Lázaro para o conforto espiritual do Reino de Deus. O rico agonizou no inferno em tormentos. "Inferno", sim, é a exata expressão utilizada no Texto Sagrado. Um grande abismo separava os dois. A vida e a morte eternas.

A salvação é valiosa. Mas a felicidade que invade o meu interior ao conquistar uma nova vida colide com uma profunda tristeza. Penso na multidão ainda não atingida pela mensagem redentora do Senhor Jesus. "Meu Pai, o que devo fazer para mais pessoas serem alcançadas?", pergunto, com insistência, noite e dia, Deus.

No mesmo espaço onde leio histórias de pessoas salvas, também recebo súplicas de ajuda. As palavras abaixo, também registadas no blogue, são um pequeno retrato da agonia de quem vive na escuridão do sofrimento. Um clamor desesperado de quem não sabe mais o que fazer, nem vê mais saída para os seus dilemas e as suas tribulações.

Um grito de socorro.

"Bispo, preciso de ajuda urgente! A minha situação é caótica, sinto-me vazia, com vontade de morrer. Eu vejo vultos, ouço vozes que não existem, sofro de insónias, tenho muito medo. O meu marido abandonou-me, deixou-me sozinha com os nossos dois filhos. Não tenho vontade de sair do quarto, penso em suicídio o dia inteiro. Tudo está a dar errado, não tenho mais esperança. Para mim, só resta a morte. Pelo amor de Deus, ajude-me!"
(Amiga desesperada, 41 anos – Londrina, PR)

Percebo a dor de cada uma destas pessoas. Uma por uma, sem exceção. Homens ou mulheres, pobres, ricos, diplomados ou analfabetos, negros, brancos, de qualquer raça ou origem, religiosas ou não. Não importa. São gemidos que ecoam no meu espírito. Onde estou e para onde vou, no Brasil ou em outros países, noto na pele as angústias, as depressões, as penúrias afetivas, as frustrações, os traumas e outros tantos dramas multiplicados no cotidiano do ser humano.

Só de falar, o meu sangue bate com mais força tamanho tal que hoje dá sentido à minha existência, o norte para o qual encaminho o meu destino neste mundo: a salvação das almas. Essa é a minha obstinação.

Uma paixão extremada em redimir vidas. Quem é salvo quer salvar. Fui salvo para salvar. Isso é o que conduz a minha fé e é o real espírito da Igreja Universal desde o seu surgimento, desde as primeiras letras pregadas na parede do altar e na fachada dos primeiros templos com a inscrição "Jesus Cristo é o Senhor".

Persisto em saciar este desejo movido por um único motivo. Um momento que vivi exatamente há 48 anos e que transformou radicalmente a minha história: o meu encontro com Deus.

Mas o início na caminhada da fé não foi fácil. A minha infância e, principalmente, a adolescência foram épocas de busca por respostas. Pensava em Deus com respeito extremo, veneração, mas como se fosse algo distante, inalcançável, impossível de se tocar.

Nasci numa família católica. O meu pai, Henrique Francisco Bezerra, alagoano de Penedo, cidade do semiárido de Alagoas, sempre foi muito dedicado ao trabalho pesado nas áreas rurais do interior ou no subúrbio dos centros urbanos. Dizia constantemente acreditar em Deus e nos seus "santos", e chegou a participar da maçonaria, irmandade religiosa secreta que se espalhava pelo Brasil em meados do século passado.

O meu pai tinha 32 anos quando conheceu a minha mãe, Eugênia, então uma jovem humilde e recatada de apenas 16 anos, na pequena cidade de Rio das Flores, interior do Rio de Janeiro e fronteira com Minas Gerais. Ela também vinha de uma família católica tradicional. Logo veio a primeira gravidez. Foram muitas, todas bem sofridas. Ao longo dos 54 anos de casamento, a minha mãe teve 33 gestações. Sofreu 16 abortos e perdeu dez filhos prematuros.

Sete sobreviveram.

Eu nasci de um parto natural feito pela minha avó materna, Clementina Macedo. Naquela época, era comum recorrer ao serviço das parteiras, principalmente em cidades do interior, nas quais não existiam médicos ou enfermeiras. Foi num domingo de carnaval, dia em que uma explosão numa das caldeiras da cooperativa de leite de Rio das Flores assustou a cidade. O susto fez com que a minha mãe, vizinha do local do acidente, entrasse em trabalho de parto.

Nasci no dia 18 de fevereiro de 1945.

Sou o quarto filho, o segundo homem mais velho. Eu e meus irmãos fomos criados com austeridade, aos gritos e repreensões agressivas de meu pai. A disciplina era uma regra inviolável em casa. A minha mãe era a protetora do lar, a mulher que nos criou com amor e zelo tão grandes que nos fizeram jovens sem rebeldia. Ela ensinou-me a rezar o Pai-Nosso e, assim, à sua maneira, a acreditar em Deus. Nasci, cresci e fui educado nessa fé inoperante e sem compromissos. Não por culpa dos meus pais, mas por simples ignorância espiritual.

Esta semente de crença acompanhou-me nos anos posteriores. Todas as vezes que eu estava em perigo, como, por exemplo, quando fazia alguma asneira cujo resultado certamente seria ser castigado pelo meu pai, eu usava uma frase de proteção. Corria para o quarto ou para a casa de banho, fechava bem os olhos, juntava as mãos e sussurrava duas ou três vezes:

— Deus é grande. O Senhor Jesus Cristo ajuda-me! Deus é grande. O Senhor Jesus Cristo ajuda-me!

Essa frase foi o meu "amuleto da sorte" no período antes da conversão. Achava que me defendia das situações de risco e vergonha, como quando fui vítima das piadas dos colegas da escola por causa da minha deficiência nas mãos. Nasci com uma falha genética nas mãos, uma pequena atrofia nos dedos. Os meus indicadores são tortos e os polegares, finos. Todos se movem pouco. Apenas os outros três dedos têm movimentos normais. A minha avó paterna tinha dedos a menos em cada mão e eu herdei esta incorreção.

Confesso que, muitas vezes, sentia um certo complexo de inferioridade, considerava-me o patinho feio da escola e até da família. Sempre fui motivo de gozo nesse tempo. Muitos adultos e meninos da minha idade chamavam-me de "dedinho", o que me fazia corar de vergonha. Tinha a sensação de que tudo o que eu fazia dava errado. Às vezes, sentia um embaraço, mas isso não me impediu de levar uma vida tranquila. Nada que me atormentasse, me tirasse a minha paz ou me fizesse questionar Deus.

A adolescência chegou como uma fase sem compromissos com a fé. Divertia-me ao ironizar a crença dos evangélicos. Quando os pastores e fiéis da Igreja Assembleia de Deus se reuniam para orar e evangelizar no campo de São Cristóvão, tradicional área de lazer do bairro fluminense onde morava com os meus pais, eu passava de bicicleta para provocar.

— Aleluia, aleluia! Como no prato e bebo na cuia – gritava, rindo-me, enquanto pedalava mais rápido para evitar uma resposta.

Comigo mesmo, sozinho nos meus pensamentos, porém, continuava perdido numa era de incógnitas. Tinha em mente que tanto o bem como o mal vinham da mesma fonte: Deus. Se algo era bom, então, considerava uma bênção divina, mas, se era mal, considerava uma punição de Deus. Ao mesmo tempo, valia-me das aventuras da juventude, com namoricos, amizades e bailes regados a muita dança e jogos de sedução, mas sempre com uma abismal e inexplicável sensação de vazio. Nada do que eu ouvia sobre Deus me completava. Muitas coisas não faziam sentido.

Durante os dias em que estive na cadeia, em maio de 1992, a Bíblia esteve sempre comigo. A voz de Deus guiou-me nas horas de dor e de injustiça.

Em protesto contra minha prisão, os membros da Igreja Universal deram as mãos cercando a Assembleia Legislativa de São Paulo.

O estabelecimento prisional em São Paulo onde passei 11 dias à espera de uma decisão da Justiça.

Os agentes policiais trataram-me como um marginal perigoso, quando me conduziram aos depoimentos no Tribunal.

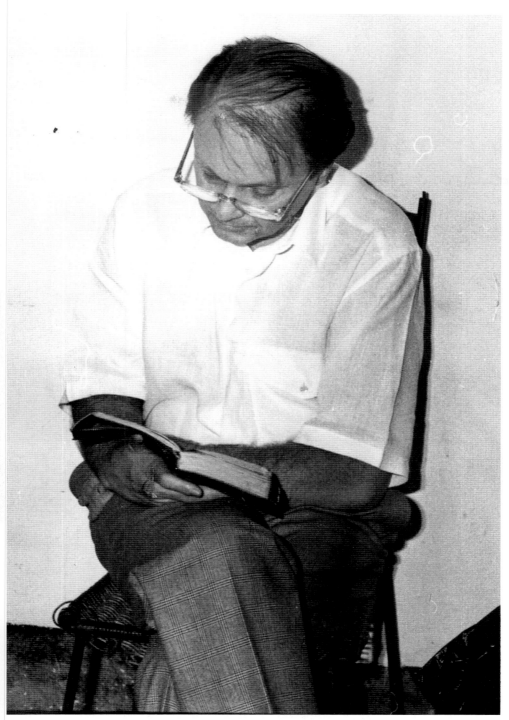

A meditação na Bíblia foi meu consolo e me deu fortalecimento interior atrás das grades.

Quando recuperei a
liberdade, a poucos
passos da rua,
acompanhado pelo meu
irmão Celso (à direita)
e pelo ex-deputado
Laprovita Vieira.

O templo de Santo Amaro onde realizei cultos antes de ser preso e logo após ser solto.

Na primeira reunião ao sair da cadeia, agradeci ao Espírito de Deus pela Sua proteção. Após a oração, abracei a Ester, ao que esteve sempre a meu lado naqueles dias difíceis.

Fotografias que fiz do amanhecer em Portugal e do horizonte no mar dos Estados Unidos. "O sol é o meu trono, e a terra, o estrado dos meus pés" (Isaías 66.1).

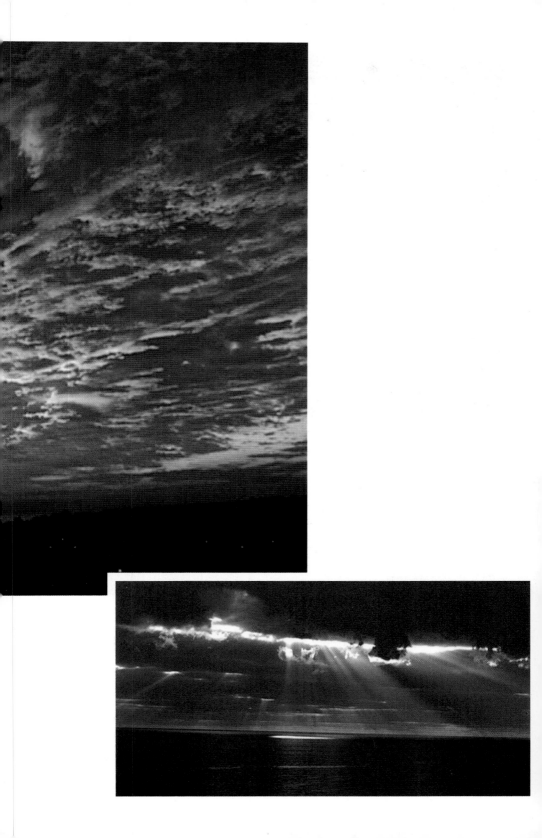

Nasci e passei os primeiros anos de vida na pequena cidade de Rio das Flores. Atravessei minha infância e parte da juventude entre idas e vindas pelo interior do Rio de Janeiro e de Minas Gerais.

ESCOLA PORTUGAL
TURMA 15

Desde jovem, a Ester sempre foi muito simpática e elegante. Para mim, a sua maior beleza é o caráter de Deus.

Acima: Numa festa de família com o meu pai, tios, irmãos e primos em Simão Pereira. Abaixo: Em viagem para Caxambu, ambas cidades no interior de Minas Gerais.

No dia do nosso casamento, com os meus pais Henrique e Eugênia, mais conhecida como dona Geninha, foi um dos momentos mais felizes da minha vida.

A Ester e eu na viagem de lua de mel. Foram momentos de alegria e prazer que, apesar de tantas dificuldades, se estenderam por todos estes anos.

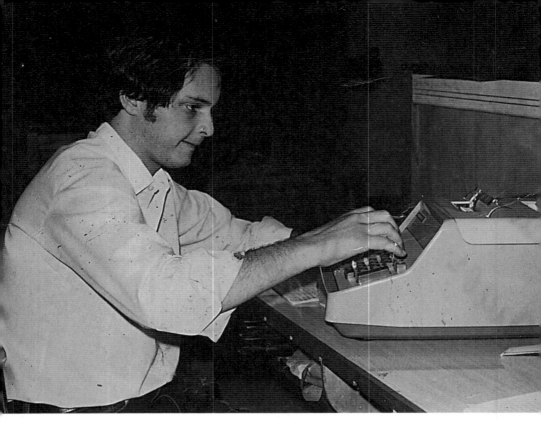

Em serviço na Loteria do Estado.

O meu cartão de estudante da Escola Nacional de Ciências Estatísticas, no Rio. O sonho de pregar o Evangelho mexia comigo dia e noite.

CONHECENDO JESUS?

Aos 15 anos, num feriado de Sexta-Feira Santa, fui "arrastado" para conhecer Jesus. Não o meu Jesus. O Jesus morto.

Considero que fui "arrastado" porque a Sexta-Feira Santa obriga as pessoas a se emocionarem com a morte de alguém que está vivo. Eu não tinha esse discernimento. E levado por essa fé emotiva fui à igreja católica.

A Paróquia na rua São Januário de Santo Agostinho, a caminho do estádio do Vasco da Gama, em São Cristóvão, estava cheia. O local estava enfeitado com velas e flores para um dia de celebrações. Quando entrei na missa, vi a imagem do corpo de Jesus estendido sobre uma mesa e dezenas de pessoas ao seu redor rezando. Repetiam palavras sem exatamente pensarem no que estavam a dizer.

A imagem era chocante. Jesus Cristo, ensanguentado, dilacerado, cravado na cruz. Estava na cerimónia de adoração ao Senhor Morto, assim chamado pelo Clero Romano. A minha pergunta foi inevitável.

— Quem precisa mais de ajuda aqui? Ele ou eu?

E fiquei repetindo aquela pergunta na minha cabeça, completamente indignado. Não compreendia como tantas pessoas ajoelhavam-se e faziam tantas rezas e clamores diante de uma imagem tão sem poder de ação. Uma imagem que despertava mais dó, pena, compaixão do que necessariamente fé, convicção, certeza de atendimento e resposta. Eu não estava diante de um Deus que pode tudo? Onde estava o Senhor de que eu ouvia falar?

Onde anda o Deus Todo-Poderoso, invencível nas batalhas? O Senhor da grandeza e da glória? Como é que Ele me poderia ajudar? Ele não era o Criador dos céus e da terra? Como poderia ser verdade o que eu estava a assistir?

Mais tarde, essas reflexões levaram-me a compreender os males da idolatria na vida do ser humano. Milhões e milhões de pessoas escravizadas por crerem em algo que não funciona. Sei que existe muita gente sincera, como eu era quando carregava os meus santinhos na carteira, mas isso não significa crer no que a Bíblia ensina. O Espírito Santo fez-me pensar naquela Sexta-Feira da Paixão. Fiquei em dúvida se rezava por mim ou por aquela imagem, morta, sofrida sobre a mesa, diante do choro de uma multidão de devotos. Não fazia sentido. A minha inteligência foi agredida.

Hoje compreendo que não devemos orar para os santos e "santinhos" por um motivo simples: eles não podem fazer nada por nós. Foram pessoas comuns que serviram a Deus, assim como os cristãos fiéis servem nos dias de hoje. Os milagres que realizaram em vida, registados pela história bíblica, só aconteceram pelo poder do Espírito Santo, que também vive hoje em todos os que creem.

Os apóstolos, por exemplo, jamais reivindicaram a posição de mediadores entre Deus e os homens. Pedro rejeitou ser tratado como um ser sobrenatural: "Indo Pedro a entrar, saiu-lhe Cornélio ao encontro e, prostrando-se-lhe aos pés, adorou-o. Mas Pedro levantou-o, dizendo: Ergue-te que eu também sou homem" (Atos 10.25,26).

A Bíblia é evidente: o único mediador entre os Homens e Deus é Jesus. "Não há salvação em nenhum outro; porque abaixo do céu não existe nenhum outro nome, dado entre os Homens, pelo qual importa que sejamos salvos" (Atos 4.12). Não se trata de desrespeito ou agressão à fé de uma religião ou de outra, mas do que necessita ser dito em nome da verdade. A verdade que liberta. Não a minha verdade, mas a verdade da Palavra de Deus.

Ainda adolescente, nas visitas esporádicas que eu fazia às paróquias, passava minutos observando os padres à distância. Para mim, homens santos, puros, sem máculas. Representantes de Deus na terra. Balançavam o incensário, ordenavam o sacramento, passavam a hóstia. A batina branca, com correntes e crucifixos dourados pendurados ao pescoço. Arcebispo, monsenhor, cardeal. Nomes pomposos, para mim, naquele tempo, sinónimos de pureza.

Os anos seguintes, infelizmente, provaram-me o contrário – e, claro, isso não é uma regra. Os crimes de pedofilia produzem-me uma sensação asquerosa. Pior, talvez, é a maneira criminosa como alguns religiosos encobrem esses atos covardes.

A impunidade contra quem abusa sexualmente de crianças tornou-se um dos maiores absurdos da humanidade. São milhares de casos em todos os continentes.

Na Igreja Universal, punimos sem piedade. Já enfrentamos casos de pastores envolvidos com pedofilia expulsos da Igreja. Sem conversa ou negociação nem qualquer chance de encobrir tamanha barbaridade. Não importa a origem, o cargo ou o tempo de trabalho do pastor à disposição da Igreja. Com a acusação comprovada, o pastor pedófilo é imediatamente expulso do quadro dos servos de Deus e ainda prestamos total apoio à Justiça para a condenação legal do criminoso.

Refém da indefinição

A minha procura por Deus prosseguia ao aproximar-me da maioridade, aos 17 anos. Já trabalhava, tinha conseguido um bom emprego na lotaria do Rio de Janeiro, em 1961. Iniciei a carreira na função pública com a ajuda do ex-governador do Rio, Carlos Lacerda, e a persistência da minha mãe, que lhe pediu um emprego para os seus dois filhos. Entre as minhas atribuições na lotaria, estava servir café para a diretoria. Era contínuo, uma espécie de *office-boy* nos dias de hoje.

Tudo parecia caminhar dentro da normalidade, mas, de repente, uma doença estremeceu a nossa família.

A minha irmã mais velha, Elcy, passou a desenvolver um quadro crónico de bronquite asmática. Depois de se casar, ela foi morar em São Cristóvão, numa casa vizinha à nossa, parede com parede. Alguns dias, principalmente nos mais frios durante o inverno, o que vivíamos era atormentador. Ofegante, sem conseguir respirar, Elcy procurava o ar em vão. Desesperada.

A minha mãe e as minhas irmãs não sabiam o que fazer. Corriam de um lado para outro, seguravam as mãos dela.

EDIR MACEDO

Massajavam-lhe o peito, abanavam o ar, gritavam e nada. Elcy não respirava. Parecia desfalecer, apagar a consciência e não voltar mais. As crises aconteciam de dia, de noite e, as mais terríveis, de madrugada. É difícil esquecer aqueles momentos. Por causa da excessiva e variada quantidade de medicamentos, ela emagreceu muito e ficou esquelética.

A doença da Elcy abalou a família inteira e fez que todos procurassem uma saída. Tratamentos médicos já não produziam resultados. Rezas e promessas aos santos e "santinhos" também não. Foi a vez de procurar solução num centro espírita chamado Santo António de Pádua, na rua General Argolo, perto da nossa antiga casa, em São Cristóvão.

Eu continuava crendo em Deus e aceitei a ideia de frequentar o centro para acompanhar o meu pai e pedir ajuda para a Elcy. Eu até dirigia-me ao espírito e tudo. O médium passava as mãos repetidamente ao redor do meu corpo dizendo que me transferia fluidos de energia positiva. O meu pai tornou-se assíduo nas idas ao local e não demorou muito para exigir que toda a família participasse das sessões.

Certa quinta-feira, no meio daquela agonia toda provocada pela doença da Elcy, apareci no centro à procura de uma cura para mim. Eu estava com verrugas espalhadas por todo o corpo, da cabeça aos pés. Consultei-me com um médico espírita famoso, conhecido como Doutor Santos Neto, que prestava assistência de graça aos moribundos. Ele olhou-me de cima a baixo e foi direto ao ponto:

— Qual é a maior verruga que você tem?

— Esta aqui – apontei para o meu dedo.

Ele apanhou uma caneta-tinteiro, desenhou uma cruz

bem em cima da verruga e pronunciou uma reza quase incompreensível.

— Numa semana, vai desaparecer. Podes acreditar, rapaz.

E não é que as verrugas desapareceram sete dias depois? Fiquei fascinado, acreditando ainda mais no poder de cura do centro espírita. O meu corpo estava limpo. Um sinal. Um indício sobrenatural que poderia colocar ponto-final nas minhas inquietações espirituais. Será que, enfim, tinha encontrado Deus?

Algumas semanas depois, enquanto me olhava ao espelho, uma marca estranha no meu corpo: uma verruga ressurgiu. Dias depois, outra. E outra, e outras...

No início da Igreja Universal, no Templo da Antiga Abolição, passei a observar com mais detalhe as manifestações dos espíritos que provocam enfermidades. As reuniões de cura estavam sempre abarrotadas. E eu questionava-me se o mal tem mesmo poder para curar. E se tem, como ele agia para nos manter afastados de Deus mesmo com a solução para a dor física. Hoje vejo isso acontecer muito até em Igrejas evangélicas que dizem pregar Jesus.

Em 1995, escrevi o livro "Orixás, caboclos e guias: Deuses ou demónios?", no qual conto experiências baseadas no nosso trabalho de libertação espiritual desde antes da minha consagração a pastor. Num dos trechos, comento as curas espirituais. Tudo parece muito atual.

"Os espíritos imundos fazem de tudo para atrair e envolver o maior número possível de pessoas. Na sua ânsia satânica, anunciam que podem curar, resolver problemas, atrair prosperidade, libertar de algo ou alguém, realizar sonhos etc."

A grande verdade a respeito das supostas curas e operações invisíveis feitas no espiritismo é a seguinte: é só para atrair pessoas.

Os espíritos imundos entram nelas e, por não ter o revestimento cristão suficiente, colocam sobre elas uma doença. Conversa vai, conversa vem, acabam levando essas pessoas por um mau caminho onde praticam essas coisas.

O espírito que está a causar a doença manifesta-se no médium que vai fazer a suposta cura ou a operação, ou então, entra em acordo com o outro espírito maligno que está no médium. Assim, afasta-se e, mediante esse acordo, deixa a pessoa curada ou "melhor".

Quando os espíritos querem dominar por esse método, continuam causando doenças para obrigar a pessoa submeter-se; quando não, curam-na, deixando-a quase completamente boa. Digo quase; daí para diante, entram na sua mente e no seu coração, que já foi conquistado pela "grande obra" supostamente realizada. Quer dizer, criam dificuldades para venderem facilidades.

Muitas pessoas que têm chegado doentes às reuniões saem curadas após terem expulsado das suas vidas todo tipo de espíritos imundos que viviam nelas.

Mediante o exercício do poder de Deus, o mal confessa os seus intentos destrutivos na vida daqueles que estão sob o seu controlo.

Todas essas coisas que estamos a esclarecer aqui são ditas muitas vezes, pelos próprios demónios, quando exercitamos a nossa fé em Jesus Cristo para fazê-los confessar.

Mesmo frequentando o centro espírita, Elcy não ficou curada da bronquite asmática. As crises respiratórias, na maioria dos ataques, deixavam-na acordada até o amanhecer. E foi numa dessas madrugadas que ela ouviu a mensagem de fé de um pastor canadiano na antiga rádio carioca Mayrink Veiga, emissora em que se estreou a cantora Carmen Miranda. Sem conseguir dormir, ouviu a pregação inteira e orou com o pastor.

As melhoras foram sentidas imediatamente. Nos dias seguintes, Elcy voltou a acompanhar ativamente o programa na rádio. Quem pregava era Robert McAlister, conhecido apenas como bispo Roberto, que convidava os ouvintes para os cultos de uma Igreja chamada Nova Vida. Elcy aceitou o convite e decidiu conhecer o lugar, que funcionava no prédio da Associação Brasileira de Imprensa (ABI), no centro do Rio de Janeiro.

A vida de Elcy passou por uma reviravolta: as suas crises de asma desapareceram e ela tornou-se assídua frequentadora daquela denominação. A cura chamou à atenção da minha família e, em menos de um ano, todos passaram a acompanhar a mais nova seguidora do Evangelho. Eu fui um dos últimos a seguir, mas nem por isso o menos interessado em procurar e achar Deus.

O antes e depois da minha irmã mais velha despertou-me. Apesar de nunca mais ter pisado em qualquer igreja católica depois de conhecer Jesus Cristo morto, eu ainda acreditava nos meus "santinhos". Eu tinha fé. Era devoto de São José, trazia sempre uma imagem pendurada no peito. No bolso ou na carteira, carregava as imagens em papel de José, Maria e Jesus. Continuava a crer no meu "amuleto da sorte" nas horas de perigo. "Deus é grande. Jesus Cristo ajuda-me!." No centro espírita, acreditei na cura da minha enfermidade apesar de ela ter retornado depois com mais força ainda.

Eu estava indefinido. Não sabia o que eu queria nem em qual rumo concentraria a minha fé. Mas desejava encontrar Deus.

À medida em que se confirmava a sua nova crença, Elcy passou a falar com regularidade da Bíblia em casa. As palavras dela tocaram-me. Passei a tentar compreender alguns excertos do Texto Sagrado, mas enfrentava enormes dificuldades. Tudo parecia complicado. As simbologias, os nomes, as expressões e até as mensagens espirituais mais simples tornavam-se um quebra-cabeça indecifrável. Nada era familiar para mim. Então entendi que poderia conhecer mais dos mistérios da Bíblia se participasse nos cultos com a minha irmã.

Foi quando entrei pela primeira vez na Nova Vida. Desde esse dia, passei a ir sempre às noites de quarta-feira e às manhãs de domingo na sede da ABI, onde se reuniam cerca de 500 pessoas.

Eu tinha exatamente 18 anos.

PERDOAR É PRECISO

Fiquei mais de um ano na Igreja como um crente não convertido, alguém que só participava dos cultos, sem compromisso, sem me ter encontrado com Deus.

Eu procurava inclinar-me aos ensinamentos da Bíblia, mas ainda guardava o "santinho" no bolso. Foi uma fase de medo contínuo.

Eu preocupava-me com o futuro da minha alma. O pastor pregava a salvação, mas eu não me entregava, resistia dentro de mim, ouvia mais a voz do meu coração do que a minha mente, a voz da minha razão.

O destino da minha alma tirava-me o sono. "Se eu morrer, para onde eu vou?", perguntava-me na escola, no trabalho, enquanto caminhava pelas ruas. Eu não tinha segurança porque não tinha certeza da vida eterna. O inferno era iminente para mim. Durante os cultos, sempre que um pastor, qualquer um que fosse, convidava os presentes a renunciarem às suas vidas no altar, lá estava eu.

— Quem deseja aceitar Jesus como seu único salvador nesta noite?

Eu levantava a mão.

— Nesta manhã de domingo, quem deseja aceitar Senhor Jesus como seu salvador?

Lá estava eu novamente de mão levantada. Isso aconteceu tanto que não me recordo a quantidade exata. Num ano, foram tantas vezes que perdi a conta.

Foi assim que Ester me viu na Igreja, no mezanino do salão onde eu costumava me sentar. Relembrando o passado, uma vez ou outra, ela conta que chegou a sentir pena de mim.

— Um dia comentei com minha mãe: "Eu tenho uma peninha daquele rapaz. A todo apelo do pastor ele aceita Jesus; não está a entender nada. Ele não se converte nunca" – recorda Ester.

Elcy, já firme na fé cristã, dizia que eu era bastante insistente, orava muito, mas parecia perdido.

Eu, de facto, estava perdido.

Comecei a encarar de frente a minha vida errada. Primeiro era preciso sepultar o meu eu, o meu velho homem. Eu tinha que vencer-me a mim mesmo. Eu tinha de perdoar.

Sempre tive um génio difícil. Perdoar não fazia parte do meu caráter. Fiquei dois anos sem falar com a minha irmã Eris. Era extremamente temperamental e discutia seriamente por qualquer disparate. A prova disso é que nem me lembro ao certo o motivo pelo qual eu fiquei com tanto rancor dela. Mesmo frequentando a Igreja, eu nutria mágoa da minha própria irmã.

Eu procurava ser simpático e sincero, tanto que fazia amizades com facilidade, mas, se alguém fizesse algo contra mim, eu enfurecia-me e desprezava essa pessoa a ponto de nunca mais querer saber dela. Eu não perdoava, e ponto. A verdade é que eu era mesmo endemoniado, perturbado e, por isso, irritante. Hoje posso dizer isso abertamente, porque descobri o que tinha dentro de mim.

O perdão é um dos atos básicos da fé cristã. É tão importante que Jesus disse que não devemos perdoar apenas sete vezes, mas setenta vezes sete. O perdão tem que ser infinito. Quanto mais se dá, mais se recebe. Não há limites para perdoar.

Eu acreditava que o tempo era capaz de apagar os meus ressentimentos. Mas não. O pastor pregava que era preciso perdoar os homens para Deus me perdoar. "Porque, se perdoardes aos homens as suas ofensas, também vosso Pai celeste vos perdoará; se, porém, não perdoardes aos homens, tampouco vosso Pai vos perdoará as vossas ofensas" (Mateus 6.14,15). Era preciso praticar aquela dura lição para definir o meu futuro. Como disse o apóstolo João, "quem é de Deus ouve as palavras de Deus...". Pelo contrário, quem rejeita as palavras de Deus, não é de Deus.

Não existia outro caminho: para encontrar Deus, eu necessitava de perdoar. A falta de perdão neutralizava as minhas orações. A mágoa fez os céus literalmente fecharem-se para as inúmeras súplicas que eu fazia diariamente. Eu voltava para a Igreja e repetia a oração do Pai-Nosso juntamente com todos os membros. A minha voz saía robusta.

— Perdoai as nossas dívidas, assim como nós temos perdoado aos nossos devedores – pronunciava em coro com a Igreja, materializando aquele velho ditado popular "faz o que eu digo, não faças ou que eu faço".

O perdão é um dos principais obstáculos para quem decide converter-se ao Senhor Jesus. É difícil perdoar. Nestas décadas servindo a Deus no altar, tenho visto muita gente chegar à Igreja e morrer com ódio no coração. Mágoas contra o pai, o filho, o marido, a esposa, um amigo. Motivos, muitas vezes, aparentemente banais, mas que ferem as pessoas.

O perdão cura, liberta, produz saúde e vida. A própria medicina já descobriu isso. O perdão ajuda o organismo a ficar mais fortalecido contra as doenças. Perdoar liberta o corpo das substâncias que só fazem mal. Já li vários estudos mostrando que guardar ressentimentos, culpar os outros ou apegar-se às mágoas estimula o organismo a libertar na corrente sanguínea as mesmas substâncias químicas associadas ao stress, que prejudicam o corpo. Manter um rancor faz mal à saúde. Com o tempo, o acúmulo de compostos nocivos gerados por esse sentimento causa danos ao sistema nervoso, ao coração e diminui a imunidade. O exercício do perdão desencadeia as reações desejadas para a manutenção da saúde, do bem-estar e para o controlo das doenças.

Mas como perdoar? Do ponto de vista do coração, é humanamente impossível. Como obrigar o coração a deixar de sentir algo que está a sentir? Ele não esquece, é sentimento.

Nenhum ser humano tem capacidade de controlar o que sente o coração. O segredo está em perdoar na mente, no intelecto, no entendimento em que temos cem por cento de domínio. Eu penso: "Jesus disse-me para perdoar porque sem perdão eu nunca vou chegar até Ele. Eu quero Jesus na minha vida, eu quero perdoar, então, eu tomo uma atitude objetiva".

Nos meus atendimentos na Igreja, tenho aconselhado muita gente a agir dessa maneira unicamente por inspiração do Espírito Santo. Sugiro uma oração simples e direta para quem não consegue livrar-se da mágoa. Uma lição prática conduzindo – eu perdoo esta ou aquela pessoa, em nome de Jesus. Quero que o Senhor a abençoe agora.

Ainda que o coração sinta algo completamente diferente, o facto de a pessoa magoada pedir em favor de quem a magoou pode mudar tudo. Mesmo que seja uma raiva tão grande que impeça a pessoa simplesmente de citar o nome de quem a ressentiu. Deus vê o esforço, a intenção em conceder o perdão e, em questão de tempo, remove o corrupto coração magoado.

Sem perdão, não há salvação. E sem perdoar, eu continuava à procura de Deus dentro da Igreja. O medo do inferno não me largava.

APENAS CONVENCIDO

A minha rotina era corrida naquele tempo. Almoçava em casa no bairro da Glória; de seguida, partia para o trabalho na lotaria estadual na Praça Sete de Setembro, bem no centro do Rio de Janeiro, e, à noite, dedicava-me ao curso pré-vestibular.

Como não tinha condução direta, eu caminhava, sozinho, diariamente, de quarenta minutos a uma hora em direção ao serviço.

Era um trajeto de reflexões. Pensava na minha vida, no meu futuro, nas minhas aspirações. Projetava os meus sonhos a cada passo que dava naquela simples e habitual caminhada. Que jovem de 18 anos não tem metas para realizar, dilemas, indecisões? Eu ainda não sabia qual profissão seguiria. Matemática? Engenharia? Economia? Em quais outras áreas das ciências exatas poderia investir o meu conhecimento?

Quase sempre meditava sobre a minha carreira, a atividade que escolheria para exercer no futuro. Mas um dia, dirigindo-me pela região da Cinelândia, surgiu um pensamento diferente no meio do turbilhão de projeções profissionais e objetivos financeiros a serem traçados. Eu ouvi na minha consciência uma voz audível, bem forte, como nunca antes. Uma ideia fixa em forma de pergunta. Um questionamento abstraído dos ensinamentos sagrados: "Que aproveitará o homem se ganhar o mundo inteiro e perder a sua alma?" (Mateus 16.26).

O meu medo de morrer e ir para o inferno aumentou depois daquele dia. Não voltei a dormir sossegado. Nos cultos, eu levantava a minha mão vezes seguidas para aceitar Jesus porque tinha pavor apenas de pensar na possibilidade de perder a salvação. Não por amor e redenção, mas porque queria usá-lo apenas como um salvador. Jesus ainda não era o meu Senhor.

Nessa procura, eu batizei-me três vezes nas águas. A imersão no batistério é um ritual cristão que simboliza o sepultamento do caráter humano pecaminoso. Trata-se de uma atitude consciente para matar totalmente a velha natureza terrena. Jesus explicou o valor do batismo e do novo nascimento a um fariseu, importante na época, chamado Nicodemos: "Quem não nascer da água e do Espírito não pode entrar no Reino de Deus" (João 3.5).

O meu primeiro e segundo batismos não valeram de nada já que eu continuava com o mesmo tipo de vida. Enquanto tinha dúvidas, eu batizava-me. O batismo válido é um só. Pela minha salvação, no entanto, eu estava disposto a batizar-me mil vezes, um milhão de vezes se fosse preciso. Jesus foi batizado por João Batista nas águas do rio Jordão. Ele não precisava, mas deixou-nos o exemplo a seguir.

Eu não compreendia que a única forma de o batismo ter um resultado eficaz era passar a viver de acordo com os valores da Palavra de Deus. Eu precisava de mudar por completo, ser diferente, transformar-me noutro ser, nascer novamente outra criatura. Era necessário viver em novidade de vida. Era preciso arrepender-me dos meus pecados e abandoná-los de uma vez por todas. Como poderia me batizar nas águas sem me ter arrependido das minhas transgressões?

O terceiro batismo nas águas, alguns anos mais tarde, foi o definitivo. Mas, naquela fase da procura pelo meu Senhor, eu sempre entrava no batistério um pecador seco e saía um pecador molhado. Nada além disso. Não havia mudança dentro de mim. As minhas atitudes não espelhavam o que eu demonstrava crer dentro da Igreja.

Eu alimentava muitas incertezas. Vivia um conflito interior porque insistia em manter um comportamento incompatível com a Bíblia. Os meus namoros eram apimentados, acalorados, cheios de erotismo. Os relacionamentos amorosos sempre terminavam com um algo a mais. Não falo isso com orgulho porque me impediram de conhecer Deus mais cedo. Não mantinha uma vida com costumes e hábitos devassos, como vemos hoje em inúmeros e admiráveis testemunhos de transformação na Igreja Universal, mas os meus erros somavam-se. E distanciavam-me de Deus.

Continuava a usar as reuniões da Nova Vida para tentar livrar-me do inferno. Na quarta-feira ou no domingo, a minha consciência doía, acusava-me dos meus pecados e eu logo aceitava Jesus novamente. Eu pecava fora da Igreja e, diante do pastor, a minha oração repetia-se:

— Jesus tem misericórdia de mim, perdoa-me.

Ficava refém desse "chove não molha". Eu sentia remorso e não me arrependia. Arrependimento não é remorso. Remorso é apenas um sentimento de tristeza momentânea por uma falta cometida. Quando há remorso, não há atitude de abandonar o pecado e, por isso, não há perdão. O arrependimento é exatamente o oposto. Significa atitude, ação e prática da fé. O arrependido larga o pecado e isso é o fim.

Teoricamente, eu parecia firme. Mas, na prática, era o mesmo. Não tinha ocorrido nenhuma transformação no meu caráter e na minha maneira de pensar e agir. Não me tinha convertido, estava convencido.

E esse é um dos principais males atuais das Igrejas evangélicas em todo o mundo, inclusivamente na Igreja Universal: um contingente de crentes caídos e fracassados na sua fé dentro das congregações, comunidades e assembleias, muitos deles, infelizmente, pastores, reverendos, apóstolos, bispos e bispas e outros tantos com mais títulos e cargos diferentes.

Crentes que asseguram acreditar em Jesus, na Bíblia, e afirmam categoricamente serem possuídos pelo Espírito Santo, mas são possuídos por outros tipos de espíritos. O alarme foi dado pelo próprio Senhor Jesus no sermão do Monte das Bem-Aventuranças: "Muitos, naquele dia, hão de dizer-me: Senhor, Senhor! Porventura, não temos nós profetizado em Teu nome, e em Teu nome não expelimos demônios, e em teu nome não fizemos muitos milagres? Então, dirlhes-ei explicitamente: nunca vos conheci. Apartai-vos de mim os que praticam a iniquidade" (Mateus 7.22).

Isso é muito sério. É o principal sinal de emergência às Igrejas evangélicas nos dias de hoje. O atual estado espiritual da Igreja é lamentável. Milhões e milhões de crentes que nunca se casaram com Jesus. Gente que o aceitou muitas vezes, até seguiu carreira dentro de uma instituição religiosa, mas jamais se entregou de verdade.

São como amantes numa relação amorosa. Juntam-se de noite, de vez em quando entregam-se ao prazer de algumas horas, mas não assumem um compromisso. Querem ser livres para desfrutar as aspirações da carne. Professam crer e acham isso suficiente. Quando enfrentam uma luta ou uma adversidade, correm para a Igreja. E se não encontram saída para os seus problemas, correm para outra, com outra denominação. E assim, vivem como os pássaros, pousando de árvore em árvore, em busca de resultados.

Muitos desses evangélicos convenceram-se de que são salvos por terem aceite Jesus, mas não são. É preciso entregar, dar, render ou sacrificar a vida em nome da fé genuína. Abrir mão da própria vida pelo Senhor Jesus significa alteração irrestrita de lado, conversão de rumo. Mudança.

ELES ENGANARAM-ME!

Com o desenrolar dos dias na Nova Vida, algo começou a mudar em mim. Passei a sentir raiva da idolatria que me enganou por vários anos seguidos. Após um dos meus batismos nas águas, decidi destruir os meus "santinhos" e a medalha que carregava ao pescoço. Eu pousei todos aqueles objetos no chão, fitei os olhos neles e, apontando o dedo com desdém, desabafei.

— Desgraçados! Vocês enganaram-me, enganaram-me! – gritava, pisando com raiva aqueles pedaços de papel e na gargantilha.

Destruí tudo sem dó. Apesar de ainda não ter nascido de Deus, passei a abominar o tempo que vivi enganado pela idolatria. E revoltei-me contra as mentiras da instituição romana. Certo dia, quando eu ainda trabalhava como estafeta na lotaria, apareceu um padre a meio do expediente. Era uma autoridade da Arquidiocese do Rio de Janeiro, acostumada a passar por ali para receber verbas financeiras que, à época, o governo destinava para certas sociedades católicas.

— Edir, vai entrar um padreco aí na sua sala. Ele não quis falar comigo, nem olhou para a minha cara. E "o homem" disse que não era para entrar ninguém sem falar com ele – disse-me, por telefone, um colega, curiosamente evangélico desviado da Assembleia de Deus, que trabalhava na portaria.

Eu fazia o meu serviço numa sala enorme do terceiro andar do prédio. A diretoria ficava no quarto andar, onde despachava "o homem", o chefe da secção, o diretor-secretário, doutor Paulo Vidal Leite Ribeiro, um ex-soldado.

O "padreco", na verdade, era um monsenhor. Ele subiu rápido. Mal desliguei o telefone e ele surgiu carrancudo, extenuado, quase que me atropelou. Eu parei à frente dele e disse:

— Senhor, por favor, deixe-me anunciá-lo! A quem devo anunciar?

Ele também parou e encarou-me com má cara. Mediu-me com um olhar raivoso. Quem este tipo pensa que é para me impedir a passagem?

— O Paulo está à minha espera, rapaz – respondeu.

E deu um passo à direita procurando ultrapassar-me. Rapidamente, também me coloquei à direita e parei novamente à frente dele. O olhar do monsenhor demonstrava mais fúria. Ele soltou uma respiração nervosa. Percebeu que eu não estava disposto a deixá-lo subir sem autorização superior.

— O Senhor sente-se aí que eu vou ao quarto mandar anunciá-lo – disse-lhe, sem medo.

— Ele está à minha espera, rapaz.

— Mas o senhor não pode entrar sem que antes eu o anuncie. Eu tenho ordens para cumprir.

O monsenhor trucidou-me com os olhos, com nítido furor, mas não saiu do lugar, não deu um passo adiante. Ficou claro que eu estava pronto para o tudo ou nada. Quando eu me preparava para subir até a sala da direção, ele virou as costas e deixou o prédio. Foi embora.

Passada meia hora, a secretária do Doutor Paulo chamou-me ao andar de cima. Entrei na sala dele de cabeça baixa, mas convicto do que tinha feito. Ele era gago e, vermelho de tão irado, mal conseguia me repreender.

— Pa... Pa... Pa... Pa... Para que é que você fez aquilo? A... A... A... A... Ainda por cima ao enviado do Arce... ce... ce... ce... bispo!

— Eu apenas cumpri uma ordem, doutor Paulo – respondi.

Acredito que só não perdi o emprego porque eu era funcionário público. Eu barrei a igreja católica naquele dia e, simbolicamente, seria um prenúncio do que se tornaria a sina da Igreja Universal ao longo dos anos. Milhões de pessoas em todo o planeta foram libertadas da cegueira da idolatria e da escravidão religiosa pelo poder do Evangelho pregado, graças à instrução do Espírito Santo, por meus companheiros de púlpito e por mim.

Mas não foi esse o motivo pelo qual entreguei a minha vida ao altar. O que me motivou a pregar a Palavra de Deus foi a obediência a um explícito mandamento de Jesus: "Ide por todo mundo e pregai o Evangelho a toda criatura. Quem crer e for batizado será salvo" (Marcos 16.15,16). A minha revolta maior não era contra a idolatria, mas em ver tanta gente sem conhecer o Senhor Jesus Cristo. A mesma situação que eu vivi naqueles primeiros anos de frequentador da Nova Vida.

Próximo de completar 19 anos, cada vez mais envolvido com o universo da fé, também tomei outra decisão. Mesmo sem ter um encontro com Deus, estava consciente do certo e errado em todos os sentidos da vida. O pastor pregava claramente sobre a importância do dízimo para a obra de Deus, mas eu nunca dei muito valor. Até o dia em que tomei uma atitude.

No final de 1965, no início de dezembro, determinei devolver os dízimos. Queria levar a minha fé a sério. E, então, em janeiro de 1966, cumpri o meu primeiro pagamento de dízimo. E nunca mais parei. Esta fidelidade acompanha-me até os dias de hoje. Costumo dizer nas minhas reuniões, na hora da entrega do dízimo e das ofertas, que "é momento de honrar ao Senhor Deus". Isso mesmo: uma honra. É assim que consideramos a condição do fiel dizimista e ofertante.

Dízimo não é oferta. Dízimos são as primícias, os primeiros frutos da colheita devolvidos ao Senhor da terra. Hoje, na prática, são os primeiros dez por cento de toda a renda. Eles significam a fidelidade do servo com o seu Senhor. O Criador não precisa de nada da criatura, mas instituiu a lei dos dízimos e das ofertas para testar a fidelidade e o amor de seus servos.

Somente quem é servo considera os mandamentos do Senhor e pratica-os. Os que não o servem são claramente considerados por Ele como ladrões.

Eu fui pessoalmente conferir o que estava escrito no Texto Sagrado. O meu dever era explícito e transparente. E o meu direito também: "Desde os dias de vossos pais, vos desviastes dos Meus estatutos e não os guardastes; tornai-vos para Mim e Eu Me tornarei para vós outros, diz o Senhor dos Exércitos; mas vós dizeis: Em que havemos de tornar? Roubará o homem a

Deus? Todavia, vós me roubais e dizeis: Em que Te roubamos? Nos dízimos e nas ofertas. Com maldição sois amaldiçoados porque a Mim me roubais vós a nação toda. Trazei todos os dízimos à casa do tesouro, para que haja mantimento na minha casa; e provai-Me nisto, diz o Senhor dos Exércitos, se eu não vos abrir as janelas do céu e não derramar sobre vós bênção sem medida. Por vossa causa, repreenderei o devorador para que não vos consuma o fruto da terra; a vossa vida no campo não será estéril, diz o Senhor dos Exércitos. Todas as nações vos chamarão felizes porque vós sereis uma terra deleitosa, diz o Senhor dos Exércitos" (Malaquias 3.7-12).

Eu sabia que a condição de me tornar para o Senhor era começar pela fidelidade nos dízimos. Esta foi a condição de Deus imposta ao seu povo no passado. No meu caso, não poderia ser diferente.

Para que Ele Se tornasse favorável a mim, eu deveria obedecer à Sua Palavra. Aprendi também que quando "devoramos" os dízimos pertencentes ao Senhor, na verdade, amaldiçoamos a nossa própria vida. Esse é o motivo, por exemplo, por que muitas nações sofrem com os mais diferentes tipos de prejuízos incalculáveis. Parece utópico acreditar em maldição provocada pelo ato de roubar a Deus nos dízimos e nas ofertas, mas as catástrofes ao redor do planeta provam essa tese. "Então, Israel era santidade para o Senhor e era as primícias da Sua colheita; todos os que devoravam eram tidos por culpados; o mal vinha sobre eles, diz o Senhor" (Jeremais 2.3).

Pouco a pouco, estava aproximando-me do grande encontro com Deus, o momento mais importante da minha vida. Passei a participar mais ativamente no grupo da juventude da Igreja, tinha cartão de membro fiel, mas queria mais.

O GRANDE DIA

Eu namorava uma rapariga de quem gostava muito, mas que não aceitou as mudanças que começaram a acontecer comigo. Ela achava a Igreja uma ilusão, os compromissos de cristão um desperdício para jovens da nossa idade. O ideal de vida dela era aproveitar os prazeres do mundo, ser livre para aproveitar os seus sonhos da maneira e com a intensidade que imaginava.

O nosso relacionamento de dois anos foi rompido por iniciativa dela. Eu era muito apaixonado. Vivíamos sem nenhuma regra, como se fôssemos casados, e isso a fê-la enjoar da nossa relação amorosa. Eu também tinha as minhas indefinições. Desejava que ela me acompanhasse à Igreja, mas isso aconteceu pouco, apenas duas ou três vezes.

Eu era tão apaixonado que cheguei ao ponto de orar a Deus com certo desrespeito e infantilidade:

— Deus, se o Senhor ama a Jesus, traga-a de volta para mim.

Eu apelei em vão. Vou contar em detalhes como fui enganado pelas paixões do meu coração, quando deixei de tomar atitudes à luz da fé inteligente, mais adiante, no próximo livro desta trilogia de memórias.

Era por causa desse envolvimento afetivo errado que eu não me firmava em Deus. Fiquei deprimido, inconsolável, sofri muito, e me apeguei ainda mais à fé. Impulsionado pela deceção e pela amargura do abandono, corri para Jesus. Ferido, estava em plenas condições de tomar a decisão mais indispensável da minha existência.

Triste, cabisbaixo, assisti a mais uma chamada do pastor na reunião:

— Quem não tem certeza da sua salvação e quer certeza agora?

Eu novamente me coloquei de pé com a mão erguida. Mas eu estava diferente. Movido pela dor, não queria saber de coisa alguma. Falei com a sinceridade mais profunda da minha alma, rasguei o meu íntimo de cima a baixo. Não aguentava mais o medo do inferno, queria entregar-me a cem por cento, na integridade absoluta do meu ser.

Não tinha mais nada a perder.

— Senhor, Senhor! Dá-me a certeza da salvação! – expressei com tanta força que as palavras pareciam ter sido arrancadas de dentro do meu peito.

Duas semanas depois, eu participei sozinho numa nova reunião. Estava sem amigos ou parentes. O pastor, mais uma vez, mandou ficar em pé. Os olhos fechados. O espírito redimido.

O hino era uma música em forma de oração.

Oh quão cego andei e perdido vaguei,
longe, longe do meu Salvador.
Mas do céu ele desceu, e o seu sangue verteu,
para salvar a um tão pobre pecador.

Foi na cruz, foi na cruz, onde um dia eu vi
o meu pecado castigado em Jesus...

As palavras soaram fortes. Eu vi os meus pecados. Embora me achasse alguém com uma conduta de vida errada, mas sem grandes transgressões, eu curvei-me. Vi como eu era um pecador cheio de faltas. As minhas dívidas eram impagáveis. Cada palavra era uma pontada na minha mente. Uma punhalada no meu espírito.

Eu achava que a minha vida não era tão errada assim. Não era um viciado, não roubava, não cometia assassinatos. No fundo, submerso no meu poço de orgulho, não me considerava um pecador merecedor do inferno. O hino continuava ao fundo e fez-me refletir sobre o meu estado real. A minha verdadeira condição de pecador. Algo desesperador, doloroso, horrível.

O Espírito Santo convenceu-me dos meus inúmeros defeitos. Um cenário que me tornou a menor das criaturas, o mais insignificante dos homens, um resto de sujidade lançado à retrete.

...Foi ali, pela fé, que abri os olhos
e agora alegro-me na Sua luz.
Eu ouvia falar dessa graça sem par,
que do céu trouxe nosso Jesus.
Mas eu surdo me fiz, converter-me não quis
ao Senhor, que por mim morreu na cruz...

Era a minha vida. Fechei os meus ouvidos e neguei na minha mente as verdades do Evangelho. Eu, somente eu, resisti por minha própria vontade. Eu era o culpado, mais ninguém. Dentro da Igreja eu aceitava Jesus, mas, ao andar na rua, não assumia a minha fé.

Dessa vez, a canção misturou-se à minha oração. Clamei perdão a Deus com honestidade:

— Meu Deus, quero mudar. Não quero mais ser como tenho sido. Ajuda-me!

...Mas um dia senti meu pecado
e vi sobre mim a espada da lei.
Apressado fugi, em Jesus me escondi,
e abrigo seguro Nele achei...

Neste exato momento, as lágrimas escorriam dos meus olhos.

Eu corri para Deus porque sofria. Estava a gemer de dor, ferido, suplicando alívio. Eu vi o meu pecado e fugi. Fiquei sem chão. Quem me poderia salvar? O Espírito Santo convenceu-me dos meus pecados. Eu vi-me perdido num inferno sem fim. Gritei por socorro. Quem pode salvar-me? E o mesmo espírito, o Espírito de Deus, apontou-me o Único capaz de me alcançar:

O Senhor Jesus Cristo.

Então, corri para Jesus. Pela fé, lancei-me de corpo, alma e espírito nas suas mãos. Imediatamente, todo o meu ser foi inundado por uma paz indescritível seguida de uma alegria igualmente impossível de ser explicada. Não consigo esquecer aqueles momentos nem tão pouco narrar precisamente como aconteceram.

Enquanto cantava e orava, o meu corpo estava todo molhado, transpirava sem parar.

...Quão ditoso, então, este meu coração,
conhecendo o excelso amor.
Que levou meu Jesus a sofrer lá na cruz,
para salvar a um tão pobre pecador...

A melodia continuava a entoar o som que eu precisava ouvir. Foi mesmo na cruz que vi os meus erros. O sacrifício do Calvário consciencializou-me da minha completa insignificância.

Naquele momento, eu amei Jesus. O maior dos tesouros. O bem mais valioso. A riqueza inigualável.

O Espírito Santo revelou-me o Senhor Jesus. Eu encontrei o meu Deus.

...Foi na cruz, foi na cruz,
onde um dia eu vi meu pecado castigado em Jesus...

Eu tinha demónios

Deixei a reunião a andar nas nuvens. A sensação é indescritível. Paz, segurança, confiança, regozijo. Mesmo se o calendário correr duzentos anos, não consigo esquecer cada detalhe daquela satisfação única. Algo estupendo aconteceu comigo. Como se uma luz se acendesse dentro de mim iluminando o meu corpo inteiro. Eu não andava mais nas trevas. Deus tinha-me libertado.

Os meus olhos e os meus ouvidos abriram-se e agora podia contemplar Deus, ouvir e entender a Sua Palavra. A vontade era de rir e chorar ao mesmo tempo. A minha alma estava leve, sem o peso da perdição. Tive a sensação dos gregos que subiram a Jerusalém na festa da Páscoa para conhecer o que ainda não conheciam, apesar de serem donos da filosofia e do conhecimento mais avançados da época. "É chegada a hora de ser glorificado o Filho do Homem" (João 12.23), afirmou, com êxito, Jesus.

Os gregos queriam conhecer o Filho de Deus no meio de uma das mais tradicionais cerimónias judaicas, o que provocou a mudança da festa em Jerusalém para o Reino dos Céus. "Digo-vos que, assim, haverá maior júbilo no céu por um pecador que se arrepende do que por noventa e nove justos que não necessitam de arrependimento" (Lucas 15.7).

Esta mesma festa aconteceu naquele dia do meu novo nascimento. Deus transformou o meu choro de agonia em felicidade. Não sentia mais a falta da minha ex-namorada. O sentimento por ela tinha diminuído de intensidade e sido substituído por outro mais impactante e benéfico para mim. "Aleluia, agora sim posso falar de algo que conheci. Eu sei do que eu estou a falar, eu experimentei esta maravilha", pensava, sorrindo sozinho.

Foi uma atitude pessoal, o meu momento particular com Deus. A mudança aconteceu de dentro para fora. Eu nasci uma nova criatura. Eu tornei-me propriedade exclusiva de Deus. Daí em diante, em todos os cultos, eu já não levantava as mãos para aceitar Jesus. Eu aproveitava os momentos de oração para entregar-me mais ainda. Procurava o meu Senhor Deus com uma vontade ferrenha. Lágrimas de pureza, louvor e obediência e atenção à vontade divina passaram a fazer parte da minha rotina nas reuniões.

Mal saía do culto e já contava os minutos para voltar à Igreja motivado por um desejo latente em compreender e me aprofundar nos pensamentos de Deus. O meu rosto estava iluminado. Os filhos de Israel viram o rosto de Moisés resplandecer ao descer do Monte Sinai com as tábuas do mandamento.

O libertador de Israel viu Deus. Ninguém é o mesmo depois de vê-lo face a face.

Ao deixar o culto na ABI, eu desejava abraçar todos, tamanho o prazer incontrolável que passou a me envolver. Queria abraçar quem visse pela frente. Os membros à saída da Igreja, os peões na rua, os maltrapilhos abandonados nas valetas. "Obrigado, meu Senhor! Eu encontrei-Te! Obrigado, obrigado!", agradecia mentalmente, enquanto voltava para casa. Apenas demonstrava gratidão por ter vivido a experiência mais extraordinária desta vida. Assimilei com clareza que não encontraria bem maior pelo resto dos meus dias.

No dia seguinte àquele culto inesquecível, encontrei um mendigo a caminho da lotaria, numa das ruas vizinhas à praça Sete de Setembro. Encostado à parede, deitado no passeio, tremia de frio enquanto muitas pessoas transitavam próximas dele como se fosse um ser invisível. Eu parei de andar, olhei a cena e logo veio-me uma ânsia fora de controlo de ajudar aquele homem.

— Tome o meu casaco, senhor.

Ele observou-me, pegou no casaco e não disse nada.

Segui o meu caminho. Eu comecei a amar as pessoas. Um amor que não era meu.

Eu, de facto, virei luz. Os demónios que habitavam o meu corpo foram arrancados. Nunca manifestei com espíritos malignos, mas era uma pessoa endemoniada. Isso mesmo: tinha forças espirituais do mal que controlavam o meu ser e a minha maneira de pensar. Estive envolvido com outras crenças. Vivi de costas para os ensinamentos de Deus.

Era possuído por demónios. Nunca manifestei essas entidades na Igreja, mas vivia sob o domínio delas. Sofria como marionete nas garras do inferno da mesma maneira como tanta gente atendida, diariamente, nas correntes de libertação da Igreja Universal. Gente apenas livre da atuação desses espíritos depois da manifestação e expulsão dos demónios que as maltratavam com violência. Eu fui libertado pela Palavra. Dei ouvidos à direção do Espírito Santo e a determinação de Jesus foi executada em mim: "Vós já estais limpos pela palavra que vos tenho falado" (João 15.3). A promessa cumpriu-se comigo.

O encontro com Deus provocou uma transformação completa no meu caráter. Eu já não era nervoso, irritante, nem me ressentia por qualquer palavra ou comportamento ofensivos. Aprendi a dar a outra face. Perdoei a minha irmã, passamos a viver como irmãos de verdade. Não nutria mais nenhum rancor por ela, consegui perdoá-la com sinceridade. A personalidade egoísta, individualista, rancorosa, irritante acabou sepultada.

Pouco a pouco, larguei as amizades do mundo. Abri mão de amigos que não contribuíam em nada para o meu avanço espiritual, pelo contrário, na maioria das vezes, afastavam-me dos princípios cristãos ou tentavam levar-me de volta à prática dos velhos hábitos e costumes. Eu fui obrigado a isolar-me, a fugir do pecado. Tinha consciência de que era uma presa constante na mira do mal. Era preciso ficar de olhos bem abertos.

Mudei radicalmente no controlo da minha vida sentimental. A dor da perda da minha ex-namorada, enfim, desapareceu, substituída pelo pensamento fixo de que algo maior e melhor já estava reservado para mim. O meu futuro seria promissor se permanecesse persistente nos passos de Jesus.

Até namorei outras vezes naquele tempo, mas não me sentia seguro com mais nenhuma rapariga. Projetava uma vida de casado, pai de família, feliz ao lado de uma mulher de Deus a quem eu amasse de verdade. Mas os exemplos e as histórias que me cercavam despertavam o medo. Nenhum dos meus irmãos conseguia um casamento feliz. Presenciei muitas discussões entre os casais da nossa família. Temeroso, orava a Deus pedindo para me livrar de uma união conjugal fracassada e infeliz.

Nem dentro de casa eu era compreendido. Ao me ver solteiro, procurando a Deus e cada vez mais envolvido com a fé, a minha mãe me dizia:

— Edir, querido, tu tens de namorar. Tu precisas de te casar.

Eu agradecia o cuidado, o carinho e o amor dela, mas tinha um alvo escolhido. Não queria desagradar ao meu Deus, apesar das minhas imperfeições e limitações. As más companhias foram esquecidas. Deixei de ir às discotecas, festas com diversão desregrada para solteiros, lugares em que eu passava as noites a dançar sem me importar com o cansaço. Procurei evitar tudo o que sequer pudesse ser uma sinalização de entristecer a Deus.

Solteiro, sozinho, padeci muito nas noites de sábado, tradicional dia da semana em que os casais passeiam para se divertir e os solitários saem à caça de companhia. Naquele tempo, não existiam cultos nos sábados à noite. A Igreja funcionava apenas às quartas e aos domingos. Hoje, a Igreja Universal abre suas portas todos os dias da semana e dedica as quintas-feiras aos que, como eu naquela época, procuram uma solução para os anseios no campo afetivo. A Terapia do

Amor é considerada por mim uma das correntes mais importantes do nosso trabalho espiritual. Ela tem ajudado milhões de casais e solteiros, ao redor do mundo, a reencontrar, sob a ótica dos preceitos cristãos, a felicidade na vida a dois.

Naquelas noites de sábado, nos anos seguintes à minha conversão, tinha o costume de me trancar sozinho no quarto e falar com Deus. Jesus tinha-me ensinado isso didaticamente: "Tu, porém, quando orares, entra no teu quarto e, uma vez fechada a porta, orarás a teu Pai, que está em secreto; e teu Pai, que vê em secreto, te recompensará" (Mateus 6.6).

Ali, na solidão do quarto, eu meditava nos textos sagrados e orava horas seguidas. Cheguei a ler a Bíblia inteira, de ponta a ponta. Refletia em pelo menos quatro ou cinco capítulos por dia. Entregava-me a Deus em oração, em instantes de incondicional intimidade. Quando tinha alguém em casa, eu orava baixinho. Quando estava sozinho, levantava a minha voz. Clamava e procurava com prazer inexplicável na alma, que me levava, muitas vezes, a cantar e dançar na presença de Deus.

Que momentos esplêndidos!

Aquelas situações singelas fortaleceram-me e proporcionaram-me experiências inéditas nesta trajetória de fé. Um dia, ao pensar na majestade dos feitos bíblicos, saltou-me à mente um excerto da incrível façanha de David. "Quem é, pois, esse incircunciso filisteu para afrontar os exércitos do Deus vivo?" (1 Samuel 17.26).

Mesmo jovem, sem sequer imaginar tantos sinais e prodígios que Deus faria na minha vida no futuro, a pergunta de David revoltou-me. Produziu uma explosão de certeza e contentamento no meu ser. Dei um salto no meu quarto. Tive uma pequena experiência dos momentos em que, nos anos seguintes, enfrentámos e derrubámos tantos Golias e dos que, certamente, ainda vamos derrubar daqui para frente.

A minha mudança de comportamento também gerou situações constrangedoras. No trabalho na lotaria, ao contar que me tinha firmado com Deus, era rotineiramente alvo de piadas e provocações. Os colegas do departamento, por exemplo, incitavam-me ao mostrar fotos de revistas masculinas. Certo dia, uma funcionária escancarou na minha mesa o póster de uma mulher nua.

— Olhe, se for um homem de verdade – dizia, no meio da gargalhada geral.

Passada a situação, eu trancava-me na casa de banho para orar.

Chorei muito na casa de banho de serviço. Os colegas de trabalho olhavam-me com preconceito e desdém. Fui obrigado a deixar todas essas amizades. Procurava ficar no meu canto. Ninguém tinha nada a me oferecer. Isso foi importante para não me influenciar a tomar decisões que contrariassem o rumo decidido a trilhar. Os que definem seguir Jesus, mas continuam envolvidos com amizades contrárias à fé, dificilmente resistem. Sucumbem na primeira tentação. E eu não poderia sucumbir.

Na ponta da faca

Outra característica marcante e natural no início da minha jornada foi a imaturidade espiritual. Movido pela crença dos neófitos, como são chamados os iniciantes no Evangelho, cometi constrangimentos e deslizes comuns que o tempo me ensinou a superar. O tempo, aliás, como em tudo na vida, é um aliado imprescindível para o aperfeiçoamento do nosso relacionamento com Deus.

Curioso entender que nem o Espírito Santo é capaz de nos amadurecer sem nos sujeitarmos ao tempo. É preciso viver problemas para aprender a superar certas situações. As tribulações fazem parte do ensino do Espírito de Deus. E quando somos levados a momentos que nos encurralam num labirinto de dúvidas e receios, a fé na promessa do Senhor Jesus anima-nos: "Eis que estou convosco todos os dias, até a consumação dos séculos" (Mateus 28.20). E, então, das fraquezas extraímos a força.

Antes de falar mais sobre isso, vou contar o que me aconteceu naquele período de recém-conversão.

Traço peculiar em qualquer cristão novo na fé, passei a falar de Jesus a todo instante, em qualquer oportunidade e a qualquer um, indistintamente. No trabalho, no autocarro, na rua, na escola. Eu não tinha controlo nem a sabedoria do equilíbrio.

Tinha-me tornado um chato de marca maior. Um chato com todas as letras. Eu tornei-me numa espécie de "criança ingénua" na fé, o que impedia os demais de repararem na minha transformação, e sim apenas no meu suposto fanatismo.

Todos os dias, evangelizava um dos meus colegas de pré-vestibular com quem assistia às aulas. Eu nem estudava com atenção tal a ansiedade em ganhar aquele amigo para Jesus. Eu falei tantas e repetidas vezes que ele mal conseguia olhar para mim. Depois de um tempo, quando me via, desviava os passos para não me encontrar. Certo dia, interrompeu-me antes de eu começar a falar.

— Escuta, Edir, cada um tem a sua religião. Segue a tua que eu sigo a minha – repreendeu-me. – Estou aqui para estudar, eu preciso meter a cabeça no estudo. Desculpa aí, tá...

Calado, meio sem jeito, recolhi-me na cadeira e continuei na sala. Mas a deceção foi tão grande que já não conseguia concentrar-me na aula.

Quando me converti, achava que todos estavam abertos e inteiramente recetivos a receber a mensagem da salvação. Pensava que o mundo queria ouvir a minha experiência incomum. Como era infantil na fé! Não sabia que a rejeição das pessoas ao Evangelho se deve a um bloqueio espiritual nas suas mentes por espíritos imundos. Por isso, elas reagiam negativamente ao meu testemunho de transformação de vida.

Mais tarde, aprendi que nem todos estão disponíveis a ouvir sobre o Reino de Deus e, se insistirmos, corremos o risco de atirar pérolas aos porcos, como Jesus ensinou: "Não deis aos cães o que é santo, nem lanceis ante os porcos as vossas pérolas, para que não as pisem com os pés e, voltando-se, vos dilacerem" (Mateus 7.6).

Devemos ser sempre discretos e aproveitar as oportunidades que o Espírito Santo certamente nos concede. Ele conhece o nosso profundo desejo em ajudar. Muitas vezes, os próprios sofridos chegam até nós. Assim, surge o momento certo de testemunhar o poder de Deus e falar da nossa experiência pessoal. Do contrário, ao se expor sem sabedoria, transmitimos a aparência de um radical religioso, o que pode, inclusive, afastar mais do que aproximar as pessoas de Deus. Acima de meras palavras, evangelizamos através do nosso comportamento. Repito muito isto aos pastores por onde destino as minhas viagens missionárias. A nossa vida precisa demonstrar a real mudança que o poder de Deus executa. Jesus mesmo disse que "Não foi enviado senão às ovelhas perdidas da casa de Israel". Temos de procurar os sofridos, perdidos, doentes, encarcerados, famintos, os aflitos em geral. Jesus somente é salvador daqueles que se encontram perdidos.

Como resgatar quem não se acha perdido?

A negativa do colega de curso foi um golpe forte para mim. Mas tinha sinceridade na minha atitude. Na volta para casa, no trajeto da avenida Franklin Roosevelt, no centro do Rio de Janeiro, para o bairro da Glória, caminhando a pé, sozinho, na escuridão do Aterro do Flamengo, eu chorei. Chorei tanto até soluçar. Baixinho, eu perguntava-me ao mesmo tempo que perguntava a Deus:

— Falei da salvação da alma dele e o que eu ouço como resposta?

Meu Pai, eu só queria ganhar essa pessoa para Jesus.

Sem saber, naquele momento, Deus ouviu a minha oração e viu a sincera intenção de ganhar almas. Olhando para trás, vejo que a Bíblia se cumpriu: "Os que com lágrimas semeiam com júbilo ceifarão. Quem sai andando e chorando, enquanto semeia, voltará com júbilo, trazendo os seus feixes" (Salmo 126.5,6).

Com o passar dos anos, aprendi a desenvolver o equilíbrio no tratamento dos assuntos da fé. Assimilei que deveria me contrabalançar nos mais variados aspectos. Em toda a criação, seja do criador ou da criatura, existe o chamado ponto de equilíbrio. O corpo humano, um veículo, uma aeronave: tudo funciona dentro de um equilíbrio. No mundo da fé, acontece exatamente o mesmo.

Muitos convertidos têm sido frustrados justamente por se excederem na prática da justiça da fé, ou seja, na interpretação dos ensinamentos da Palavra de Deus, na maneira radical de ver e julgar as situações. Tudo é julgado na ponta da faca, precisamente o oposto da lição do rei Salomão, um dos homens mais sábios na história da humanidade: "não sejas demasiadamente justo, nem exageradamente sábio; por que te destruirias a ti mesmo?" (Eclesiastes 7.16).

Nestes anos como responsável pela obra de Deus, já presenciei cenas atípicas ocorridas, digamos, por esse exagero de justiça. Membros que devolvem o dízimo dos seus ganhos contabilizando até a última casa dos centavos. Não discuto a fidelidade na devolução da décima parte dos rendimentos, é óbvio, mas os excessos em relação à justiça do justo.

Para cristãos assim, a mais inocente brincadeira é motivo de escândalo. Grande parte esquece-se, porém, que apesar de não pertencer ao mundo ainda assim vive nele. O pior é que muitos abandonam Jesus por não conseguirem atender às cobranças excessivas de si próprios. O equilíbrio da fé não significa tolerar o pecado nem exagerar na santidade.

Por isso, no decorrer do tempo, entendi que, mesmo após o meu novo nascimento, eu não seria perfeito. Isso é impossível. Sou humano. Mesmo possuindo o Espírito de Deus, ainda assim, continuo sendo "um vaso de barro para que a excelência do poder seja de Deus e não a minha" (2 Coríntios 4.7).

Aí reside o engano. Muita gente pensa que a comunhão com Deus é a garantia de que serão perfeitas. Perfeito será o nosso coração, um novo coração segundo Deus. A nossa mente será perfeita ao ser moldada pelos pensamentos de Deus. Mas estaremos sujeitos a erros, porque somos seres humanos, habitamos este mundo e estamos sujeitos às circunstâncias daqui.

O encontro com Jesus mudou a minha vida, mas, é claro, não me tornei perfeito. Nestes 48 anos como servo de Deus, falhei muito. Não fui um "santinho". Tenho o meu dia-a-dia e, como qualquer um, enfrento problemas e provações e, muitas vezes, cometo erros. Deus permite isso para que as falhas nos sirvam de lições. Eu aprendi muito nesse tempo. Assimilei, por exemplo, que as tribulações alicerçam a fé. Descobri que quanto mais lutas, mais dificuldades, mais firmes nos mantemos nesta convicção, nos tornamos sempre humildes diante de Deus. Nas aflições, obtemos maturidade.

As experiências fizeram-me imune a cenas que jamais imaginei presenciar dentro da Igreja. Nada mais me desestruturou após ter nascido de novo. Ainda gatinhando na fé na Nova Vida, acompanhei de perto casos de pastores em adultério, revoltas entre pregadores, acidentes, doenças e outras tragédias diferentes. Um pastor de quem eu gostava bastante morreu num acidente de automóvel. Dissidentes do bispo Robert McAlister foram capazes de surrupiar um rádio comprado por ele, aproveitando-se do facto de que era estrangeiro. Os mais distintos problemas políticos na Igreja apresentavam-se para mim. E eu calei-me sempre, nunca me envolvi com nada disso nem sequer me escandalizei. Apenas orava pedindo a Deus proteção para a Sua obra.

Seguia firme e fiel no sentido do Evangelho, mas ainda faltava algo. Nos cultos, sempre conferia os ensinamentos pastorais com os escritos na Bíblia Sagrada. Dediquei vigilância especial para o que os servos de Deus ensinavam sobre o Espírito Santo, o Fôlego de Deus, a terceira Pessoa da Santíssima Trindade. Deus Pai, Deus Filho e Deus Espírito Santo. O revestimento de poder dentro do ser humano.

As questões cruzavam-se no meu cérebro. O que é esta dádiva e por que dizem ser tão importante? Como funciona este milagre? Qual o seu significado e como isso poderia mudar o meu íntimo? Eu tinha encontrado Deus, mas teria que lutar novamente para ser batizado no Espírito Santo? Como habitaria Ele dentro de mim? Teria eu condições de receber esse dom? Quem era eu para que habitasse em mim?

Logo parti para encontrar o meu mais novo tesouro.

O defeito de nascença da minha filha Viviane trouxe-nos muito sofrimento. Ela foi obrigada a fazer várias cirurgias no rosto e a se submeter a tratamentos com remédios e terapias. Era o que eu precisava para provocar uma reviravolta na minha vida com o uso da fé.

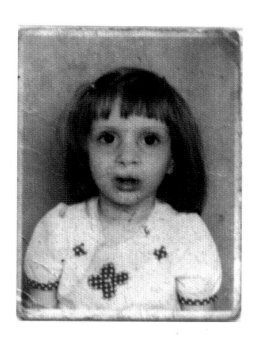

Cristiane
e Viviane
sempre foram
irmãs muito
unidas desde
pequenas.

Mesmo na batalha contra vários complexos e traumas, as duas tiveram uma infância harmoniosa. Cristiane cresceu como protetora da irmã mais nova.

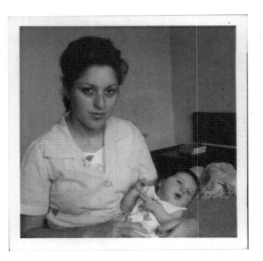

Cristiane recém-nascida no colo da mãe e, já um pouco maior, abraçada comigo. Ao lado, sorridente, na festa do aniversário de dois anos.

Ester sempre foi muito conselheira e firme no desenvolvimento das meninas.

Na pré-adolescência das nossas filhas, adotamos Moisés, outro filho querido. Os anos que moramos no exterior uniram ainda mais a nossa família.

Momento sagrado: uma das refeições em nossa casa com Ester e Moisés.

Viviane e
Cristiane
adolescentes.

Jovens, Cristiane e Viviane, espelharam-se na conduta e na índole da mãe.

A nossa família
nos dias de hoje
num dos raros
momentos em
que conseguimos
conciliar as nossas
agendas. As
minhas filhas e eu
dedicámos as nossas
vidas inteiramente à
Obra de Deus.

Culto especial no Rio de Janeiro no qual consagrei os 50 anos do casamento de meus pais.

Durante a reunião, pedi aos meus irmãos, primos e sobrinhos para subirem ao altar para agradecer a Deus a vida dos meus pais.

Dona Geninha com a neta Cristiane. O amor da avó pelas crianças também ajudou a nossa luta contra a doença da Viviane.

Meus seis
irmãos reunidos
para festejar o
aniversário de
nossa mãe na
cidade de Simão
Pereira.

Aqui está seu lindo
filho trabalhando na neve.
Quem podia imaginar isso!
Como as cousas mudam, não
no próximo inverno espero
que esteja conosco para ver a
neve, como é bonita!
Beijos,
Ester
New York, Feb 1987

Os afetuosos
postais enviados
por Ester à mãe,
em fevereiro de
1987, quando
fomos morar em
Nova Iorque,
nos Estados
Unidos da
América.

Para minha querida
sogra, uma lembrança de
seus filhos que tanto lhe
amam e lhe apreciam.
Beijos,
Ester

New York, Feb 1987

Em abril de 1997, oito meses antes da minha mãe morrer, escrevi-lhe um agradecimento por tudo que ela fez por mim e pela nossa família.

São Paulo, 8/4/97

Mamãe:

Eu louvo e agradeço a
Deus pela senhora. Nunca
esquecerei suas lutas por cada
um de nós!
Que Deus a abençoe
abundantemente!

Contra tudo e contra todos, dona Geninha sempre acreditou que eu poderia realizar o meu sonho de pregar a Palavra de Deus.

À PROCURA DE UM NOVO MILAGRE

P ara encontrar Deus, descobri que era preciso priori-
zar a fé. Eu tive de definir o que queria. A fórmula
repetir-se-ia na busca do Espírito de Deus. Desejava alcançar inúmeros objetivos, tinha muitos sonhos, mas
foi necessário decidir o que era mais relevante. Pensava em
crescer profissionalmente, ganhar dinheiro, conquistar uma
esposa, uma família, ser feliz, mas tive de colocar o Espírito
Santo em primeiro lugar.

Comecei a orar pedindo essa dádiva e a refletir na Bíblia
com foco voltado para o conhecimento mais abrangente do
Espírito Santo. Lia e relia todos os versículos que tratavam
desse batismo celestial. Sublinhava as passagens bíblicas,
uma ou duas vezes, e meditava nelas várias vezes ao dia.
Eu pensava, todo o tempo possível, no Espírito Santo, seja
na rua, em casa, na escola, no trabalho, em qualquer lugar.
Em tudo que fazia, eu concentrava-me no mesmo objetivo:
"Desejo o Senhor, Espírito Santo, de corpo, alma e espírito,
com todas as forças do meu entendimento".

Vivenciei aquela crença como se estivesse nas vésperas do meu casamento. Utilizo este exemplo fácil nas minhas pregações atuais. Digo que devemos encarar a receção do Espírito de Deus como o matrimónio, um dos momentos mais importantes na vida do homem e da mulher. Poucas semanas antes do casamento, os noivos não pensam em outra coisa. O vestido, o fato, a roupa dos padrinhos, a entrega dos convites, a cerimónia, a confirmação dos convidados, o salão de festa, os doces, o bolo, enfim, nenhum detalhe pode passar despercebido. O casal vive cem por cento concentrado em torno do casamento até ao grande dia do sim.

O casamento com o Espírito Santo não é diferente. Para recebê-lo, o fiel tem de ocupar os seus pensamentos nele até a consumação da receção. Este é o principal segredo. O Espírito Santo não desce na vida do ser humano de qualquer forma. Ele vem quando há entrega total, empenho nessa procura e clara demonstração de que existe disposição para pagar o preço de recebê-lo. Isso acontece quando a fé é acompanhada de atitudes.

Um dos excertos da Bíblia que mais mexeu comigo foi a forte advertência do apóstolo Paulo aos cristãos Romanos. Meditei com temor e tremor várias semanas: "... se alguém não tem o Espírito de Cristo, esse tal não é Dele" (Romanos 8.9). Portanto, se quisesse pertencer ao Senhor Jesus, eu deveria ter o Seu Espírito.

Eu tentava construir uma nova mente, mas não era fácil.

Segui alguns passos fundamentais para receber o Espírito Santo. O primeiro deles foi ter a consciência de que ninguém é batizado porque merece. Não merecia e jamais poderia achar que tinha méritos. Eu deveria lutar por esse batismo de todo o coração através da minha fé no Senhor Jesus. Ele tinha prometido, então, mesmo sem merecer, tinha o direito de recebê-lo pela fé na Sua promessa.

O segundo passo, como já tinha começado a fazer, era querer. Não poderia ser uma simples vontade, mas um desejo semelhante ao pedido de perdão dos pecados. É um querer ardente, acima de qualquer outro sonho ou desejo do coração. Mais do que viver, casar, conquistar mundos e fundos, enfim, mais do que tudo que este mundo pode oferecer.

O terceiro passo foi direcionar e controlar o meu pensamento. O meu querer precisava de ser seguido pelo pensamento contínuo no Espírito Santo. Para isso, necessitei de me isolar de tudo o que era nocivo para a minha boa consciência. Eu procurava evitar as más companhias, as distrações do dia-a-dia e até atividades aparentemente banais, mas que interrompiam o meu relacionamento com o Espírito.

Não foi tarefa fácil dominar minha mente. Sofria constantes ataques do mal com o sopro de pensamentos sujos e impuros. Pensamentos satânicos relacionando Deus e sexo, por exemplo. Ao princípio, por simples inexperiência, aquilo perturbou-me muito. Cheguei a pensar estar a pecar contra o Espírito Santo e que por esse motivo não o recebia.

Procurei o meu pastor e comentei o assunto sem entrar em detalhes. Ele orou por mim e fiquei livre daqueles pensamentos. Passado um tempo, as mesmas ideias impuras voltaram a invadir a minha mente. Sozinho, desta vez, aprendi a reagir.

Decidi falar diretamente com o diabo.

— Presta atenção, satanás! A partir de agora, toda a vez que tu me trouxeres esse lixo à mente, eu vou adorar e glorificar o meu Senhor – passei a ordem, com determinação.

Agi assim porque lembrei-me de que o diabo tem ódio de ver o ser humano adorar a Deus. A cada tentativa, imediatamente reagia com louvores ao meu Senhor. Eu louvava a Jesus e já não pensava mais em coisas ruins. Resistia ao mal e ele fugia de mim.

Daquele dia em diante, fiquei livre desses tormentos. E repito sempre a mesma estratégia quando a minha mente volta a ser atacada por imundices. Não desanimei com a investida contra os meus pensamentos. Também não admiti pensar que tinha pecado contra Deus. Ser tentado não é pecado. Pecado é cair em tentação.

Era o sinal de que eu estava no caminho certo para receber o Espírito Santo.

O milagre aconteceu dois anos depois do meu encontro com Deus. Eu estava para completar 21 anos. O primeiro sintoma foi uma reação inesperada numa vigília de orações numa campanha especial de sete dias para receber o Espírito Santo. Isso era raro porque a Nova Vida funcionava no prédio da ABI apenas alguns dias da semana. As reuniões eram limitadas, o que me impedia de me entregar ainda mais.

Naquele dia, eu falei em línguas estranhas, segundo a Bíblia, um dos sinais da receção do Espírito de Deus. Para ser mais preciso, pronunciei uma única palavra e fiquei desconfiado. Pensei se não estava simplesmente a imitar o pastor que falava frases incompreensíveis durante a procura no altar. Deixei de repetir o mesmo gesto por um tempo. Não estava ansioso nem preocupado em receber o Espírito Santo. Também não tinha ao certo a dimensão da inestimável importância do batismo, como ensinamos tanto nas nossas pregações atuais.

Passados alguns meses, num domingo de manhã, o falecido pastor Otávio Peterson tomou uma iniciativa inovadora no decorrer do culto. Ele pediu para cada presente pôr as mãos sobre a pessoa sentada à sua frente.

— Agora, cada um ore pelo outro. Peça a Deus que nos visite com o seu Santo Espírito – orientou o pastor, ao microfone.

Eu estava na última fila de cadeiras e, portanto, não tinha ninguém que pudesse pôr as mãos na minha cabeça. Obedeci a orientação. Quando comecei a orar pela pessoa à minha frente, imediatamente as palavras soaram estranhas. A partir de então, passei a falar em línguas estranhas. Interessante que, nesse momento, veio uma imensa certeza de que o Espírito Santo estava comigo. Não houve riso, choradeira ou desequilíbrio emocional. Apenas certeza. Não caí ao chão, rodopiei, senti tremedeiras ou chiliques. Foi um momento de consciência absoluta, sabia exatamente o que se passava naqueles instantes.

Dali em diante, uma paz perfeita tomou conta de mim não apenas na Igreja, mas no convívio com os meus familiares, amigos, no meu cotidiano. Em consequência desse batismo, nasceu o fruto do Espírito de Deus. Nove qualidades descritas, uma a uma, pelo apóstolo Paulo: "Mas o fruto do

Espírito é: amor, gozo, paz, longanimidade, benignidade, bondade, fidelidade, mansidão, domínio próprio" (Gálatas 5.22,23). "O fruto é" e não "os frutos são" não foi um desleixo gramatical, mas um ensinamento para a vida: o fruto é um composto de nove partes igualmente imprescindíveis para o cristão. Quando se alcança esta unidade espiritual, imediatamente tem-se ousadia, fé e confiança.

Como ocorreu no cenáculo em Monte Sião, em Jerusalém, no memorável dia de Pentecostes, o Espírito de Deus desceu de forma impetuosa na minha vida. Fui selado para receber orientação e inspiração. Ele é quem me exorta, me aconselha, me conforta, me renova e me anima nas guerras que travo contra o inferno ontem e hoje.

Ele, sim, é o mentor e líder da Igreja Universal do Reino de Deus. Sem o Espírito Santo, nada do que tem sido feito seria possível. Confesso, a IURD e eu não existiríamos. Eu não seria nada.

Nada.

DORES DE UM SONHO

O trabalho de parto pode levar horas. A dor sentida no momento em que um bebé chega ao mundo varia de mulher para mulher e até mesmo de uma gestação para outra. Mas em geral é considerada pelos médicos como uma das mais terríveis sentidas pelo corpo humano.

A sensação é de peso na barriga e nas costas. As dores das contrações começam leves e vão aumentando gradualmente. A barriga fica dura, parece uma parede. No começo, a dor é menor, mas já incomoda. Algumas mulheres caminham ou ficam dentro da água para tentar aliviar a pressão. Não adianta. O aperto nas costas é grande devido ao deslocamento do bebé. Quando as contrações aumentam, a sensação é que internamente tudo está a arrebentar. É possível sentir alívio apenas alguns minutos porque logo chega a próxima contração.

O tempo entre uma contração e outra diminui conforme se aproxima a chegada do bebé. Acontece de minuto a minuto, a meio do aumento da intensidade das dores. No momento de empurrar a criança com o corpo, vem o ápice da dor. Muitas mulheres nunca fizeram tanta força na vida. Nessa hora, a gestante chega a contorcer-se, segurar na cama ou nos braços de alguém, gritar ou esmagar uma toalha com os dentes. Uma dor sem comparação com outras dores. Para alguns, a mais intensa que existe.

Mesmo como homem, percebo o tamanho dessa dor. A mesma que o apóstolo Paulo escreveu aos cristãos de Gálatas: "De novo, sofro as dores de parto, até ser Cristo formado em vós" (4.19).

Essas dores surgiram logo no início do meu percurso na fé. Já tinha nascido de novo, encontrado Deus, e recebido o batismo no Espírito Santo, mas faltava algo. Um fogo, uma erupção inflamada, começou a arder de maneira descontrolada dentro de mim a ponto de me colocar em situações incompreensíveis às vistas de quem nunca sentiu as "dores do parto".

As minhas projeções para o futuro tinham naufragado de acordo com a minha própria vontade. Não me motivava traçar planos de carreira e crescimento financeiro porque tudo isso já não me completava.

O recente ingresso no curso de matemática na Universidade Santa Úrsula não me entusiasmava como antes. Fiquei apenas um ano e meio e pedi transferência para a Universidade Federal Fluminense, onde também não terminei o curso.

Os anos de estudo incompletos na Escola Nacional de Ciências Estatísticas, depois de casado, em 1975, foram importantes para a minha base intelectual, mas não me atendiam no que eu mais desejava.

A mesma falta de entusiasmo no ensino estendeu-se ao trabalho. Claro que permanecia um funcionário competente, responsável com as minhas atribuições, mas não me importava com os resultados daquele esforço. Já era chefe da tesouraria da lotaria do Rio de Janeiro e cumpria um expediente de apenas quatro horas por dia. Nesse tempo, também trabalhei no Instituto Brasileiro de Geografia e Estatística, o IBGE, com funções na organização do Censo de 1970.

Mas nada me preenchia. O meu sonho era pregar o Evangelho.

A minha juventude acabou marcada por essa definição: a mudança de planos após a minha experiência com Deus. Compreendia que nem todos são escolhidos para pregar o Evangelho no altar, mas eu desejava ajudar, contribuir com qualquer coisa. Queria fazer a minha parte no estabelecimento do Reino de Deus nesta terra.

Como todos os nascidos de novo, tinha consciência de que fui salvo para salvar. Através de ofertas, da evangelização em favelas, nos presídios, hospitais, enfim, de ajuda com atividades espirituais nos lugares onde habitam os aflitos. Mas a Igreja Nova Vida não me considerava apto para o serviço da obra de Deus, situação que vamos entender melhor algumas páginas adiante.

Essa vontade estava encravada dentro de mim. Quando comecei a namorar Ester, logo conheci a mãe dela. Mesmo como um simples membro de Igreja, considerado incapaz pelo alto comando da instituição, eu dei o recado de imediato.

— Olha, eu vou pregar o Evangelho em África. Vou andar por esse mundo fora para socorrer os sofridos, custe o que custar – afirmei, taxativo.

Era uma sede insaciável. Eu participava dos cultos na recente sede da Nova Vida, construída num edifício refinado de Botafogo, no Rio de Janeiro, com essa indignação pulsando nas minhas veias. A velha Igreja da ABI tinha ficado para trás. A beleza do novo templo não me sensibilizava. Eu deixava os cultos inquieto, agressivo, irreconhecível.

A paixão pelas almas mexia com os meus nervos.

Continuava a participar ativamente nas reuniões, procurando o Senhor Jesus com integridade e retidão, ouvindo e aprendendo sobre a Palavra de Deus, querendo mais e mais do Espírito Santo. A irritação, porém, não me deixava sossegar.

— Eu não te entendo, Edir – comentava a Ester. – Um louvor tão maravilhoso, uma procura por Deus tão especial e tu sempre irritado. Fogo...

Era isso que me atormentava. Os 500, 600 "escolhidos" reunidos para adorar o Senhor, desfrutando momentos maravilhosos diante do altar, e milhões de pessoas desesperadas, cegas na fé, da porta da Igreja para fora. E eu sem poder ser usado nessa batalha pelas vidas perdidas.

Essa indignação foi aumentando a cada dia. Certa vez, também ao sair de um culto de louvor da Nova Vida, até o trânsito carregado na porta da Igreja me tirou do sério. Tinha acabado de comprar um carocha novo com as economias do salário da lotaria. Ao tirar o carro do estacionamento, tudo parado na rua. Um autocarro travava o caminho à minha frente. De repente, virei o volante e acelerei para ultrapassá-lo pelo reduzido espaço entre o veículo e a árvore no passeio.

Impaciente, inquieto, fui acelerando aos poucos, mas sem desistir.

— Não vai dar, Edir – alertou a Ester.

— Tem de dar, vai dar! – respondi. Ester insistia:

— Não vai daaar, Edir!

O farol mudou para vermelho e o carocha ficou espremido entre o autocarro e a árvore. Ao sinal verde, claro, o motorista do autocarro não me deixou avançar. Mesmo assim, engatei a primeira e fui. Inevitável: deixei para trás as duas saias do carocha, aquelas chapas dos guarda-lamas – uma na árvore e outra no autocarro. Mas consegui passar, fui adiante.

Era assim. Deixava os cultos da Igreja transtornado. Quando relembro o passado com a Ester, esclarecemos muita coisa. Ela lembra que não compreendia ao certo porque é que eu ficava tão nervoso.

— A reunião era boa, maravilhosa, mas a garra dele em ganhar almas era mais forte – conta Ester. – Parecia um leão preso na jaula contando os segundos para a liberdade.

Uma noite de quarta-feira, tive a visão exata desse conflito constante no meu interior. O pastor convidou todos a ficarem de pé para o momento da adoração.

—Vamos agora entrar no santo lugar e apresentar incenso de louvor ao nosso Deus – falou ao microfone. – Vamos lá, pessoal. Todos juntos, fechem os vossos olhos.

A Igreja estava repleta. Do órgão saía um som melodioso que atraía os fiéis ao altar.

Posso entrar no santo lugar
e contemplar seu rosto a brilhar...
...O incensário moverei

E com louvores adorarei.
Ministrarei ao meu Senhor
ofertas espirituais

Parecia até a congregação dos eleitos no céu. Um coro de anjos remidos diante do trono do Altíssimo. Ao mesmo tempo, porém, uma sensação estranha apoderou-se de mim. O meu íntimo foi invadido por uma imensa tristeza, uma agonia sem limites.

Um som ensurdecedor vindo do lado de fora do templo. Gritos desesperados.

— Tem compaixão de nós! Pelo amor de Deus, tem compaixão!

Com os olhos fechados, mas plenamente consciente de onde estava e do que pensava, tive a imagem nítida de uma multidão de homens e mulheres aflitos, suplicando ajuda com pedidos de socorro, lançados um a um no inferno. "Que cena assustadora é essa, meu Deus? Quanta gente atirada no tormento eterno ao mesmo tempo!", os meus pensamentos voavam. "Não é justo. Todos no calor da Igreja, oferecendo graças e aleluias e o povo lá fora gemendo. Não é possível agradar a Deus assim. Deus não é egoísta. Eu não poderia ser. Quantas pessoas a ir para o inferno e eu a pensar apenas em mim."

Nas horas e nos dias seguintes àquele culto, os mesmos questionamentos se reproduziam.

— Por que Deus me tinha dado aquela visão? O que ele queria de mim? O que ele faria no meu lugar? Afinal, qual a maior expressão de gratidão ao meu Senhor: o louvor ou a salvação das almas? - perguntava-me. - Se o Senhor Jesus estivesse aqui, o que faria Ele? O que tem mais valor para Deus: palavras de louvor ou almas resgatadas?

Concluí, mais do que nunca, que não me poderia juntar aos adoradores da Igreja, e sim correr à procura dos perdidos. Os provérbios de Salomão tinham a resposta definitiva: "Como quem se despe num dia de frio e como vinagre sobre feridas, assim é o que entoa canções junto ao coração aflito" (25.20).

Tinha sede de me entregar e ser usado de corpo, alma e espírito como pastor ou o cargo que fosse na obra de Deus. Não importa. Queria ser instrumento do Espírito Santo com o único e majestoso objetivo de arrebanhar almas.

Essa convicção pulsava no meu interior. Um fogo, um ardor, uma súplica do espírito. Uma chamada.

Os meus sonhos passariam a ser os sonhos de Deus. Estava obstinado a dar uma reviravolta na minha própria história, mas antes era preciso vencer muitos obstáculos.

CAPÍTULO 3

UMA DOENÇA QUE TROUXE VIDA

DEZASSEIS CAPÍTULOS ANTES

Fé é atitude. Você já me deve ter ouvido discursar muito sobre isso. Esta frase transformou-se quase um lema da Igreja Universal porque resume bem os pensamentos da Bíblia e o que eu prego há cerca de quatro décadas. Não existe resultado concreto sem atitude, sem ação, sem procedimento, por mais crença que se diga possuir. Por mais paixão pelas almas incendiando o meu ser, por mais aspiração veemente em socorrer a multidão de descrentes, eu só consegui ser usado por Deus quando eu tomei uma atitude.

Vivi como membro fiel de uma Igreja evangélica durante onze anos, desde pouco antes da minha conversão, quando tinha 19 anos, até meados de 1975. Foram onze anos de inconformismo. Nascido de novo e selado no Espírito Santo, mas espiritualmente encarcerado numa instituição que me considerava incapaz de ser usado na difusão do Evangelho, eu despertei quando decidi agir.

A atitude muda tudo.

O cobrador de impostos Zaqueu decidiu doar metade dos seus bens aos pobres e retratar, quatro vezes mais, a quem tinha roubado. Antes, subiu a uma árvore para ver Jesus na entrada de Jericó. A ação de Zaqueu fez o Filho de Deus escolher a sua casa para repousar entre tanta gente ali presente. Houve salvação naquele lugar. Entre um aglomerado de paralíticos em Cafarnaum, o Senhor Jesus atendeu ao que foi descido do alto do telhado por quatro homens. O milagre aconteceu. Ao enfrentar a ameaça de genocídio dos exércitos do Faraó, depois de tanto meditar nos mandamentos e orar por socorro, Moisés ouviu uma repreensão de Deus: "Por que clamas a Mim? Diz aos filhos de Israel que marchem" (Êxodo 14.15).

Deus aguardava apenas uma atitude. Eu precisava de marchar.

Na Nova Vida, não me consideravam com "unção" nem para abrir e fechar portas na hora dos cultos. Fiquei um tempo imenso, para mim uma eternidade, aguardando uma chance. Onze anos depois, convenci-me de que não poderia mais esperar. Era hora de dar uma reviravolta.

Numa noite de quarta-feira, pedi uma audiência com um dos principais líderes da Igreja, bispo Tito Óscar. Dias antes, também tinha implorado uma oportunidade ao então pastor Jorcelino Queiroz, meu cunhado, casado com uma das irmãs de Ester, responsável por uma pequena Igreja em Teresópolis, região serrana do Rio de Janeiro. O templo não reunia mais do que vinte frequentadores e eu considerava-me preparado a contribuir para o crescimento daquela localidade.

Subi ansioso os quase noventa quilómetros de serra. Apreensivo, ao encontrar Jorcelino, fui direto ao ponto:

— Pastor, posso ajudar o Senhor. Vamos evangelizar essa cidade inteira, vamos encher essa Igreja. Tenho a certeza de que vai dar certo, não é difícil!

Jorcelino olhou meio desconfiado a minha motivação. Respirou fundo antes de dizer:

— Não posso fazer nada, Edir. Você sabe... Estou ligado ao bispo Tito. Tudo o que faço por aqui, preciso da autorização dele.

— Então eu vou falar com o bispo Tito, pastor. Vou pedir para ajudar o Senhor – retorqui, radiante. – Eu acredito que vamos ganhar muitas almas nesta cidade!

— Se ele autorizar, tudo bem. O que ele decidir está decidido – encerrou a conversa.

Ao voltar para o Rio de Janeiro, os meus olhos brilhavam. Vi a oportunidade real de me entregar à divulgação do Evangelho. Conduzindo pela estrada, os variados tons de verde da serra, as árvores da Mata Atlântica e a paisagem de montanhas e picos descortinavam o meu mundo ideal. Seria o início de tudo? O Espírito Santo usaria-me a partir daquele momento? Deus tocaria no coração da cúpula da Nova Vida? Os pastores acreditariam no meu potencial? No meu imenso desejo de servir no altar? Enfim, alguém olharia para mim?

Lá estava eu, naquela noite de quarta, pronto para conversar com o bispo Tito. O diálogo foi na sala de atendimento da igreja.

— Bispo, falei com o pastor Jorcelino e existe uma forma de que eu ajude o ministério dele em Teresópolis. A Igreja é pequena e dá para crescer tanto! Tenho a certeza, bispo Tito, existem muitas condições para o crescimento do trabalho – roguei, com esperança no semblante.

Ele apenas me observava concordando levemente com a cabeça.

— Eu só preciso de uma oportunidade. Estou há muitos anos aqui na Igreja e eu quero ganhar almas. Tenho que ganhar almas! Sinto-me cobrado por Deus! Preciso de fazer alguma coisa! – rasguei o meu interior. – A minha única vontade, bispo, é seguir o que o Senhor Jesus disse: "Ide por todo o mundo e pregai o Evangelho a toda a criatura".

Tito Óscar levantou-se da cadeira. E, com a voz empostada, típica dos discursos religiosos tradicionais, iniciou a ruína do meu sonho.

— Edir, meu rapaz, preste atenção. Vou dizer algo para tu nunca mais esqueceres – falou, em tom professoral. – Antes de Cristo anunciar: "Ide por todo o mundo e pregai o Evangelho", Ele disse muitas outras coisas. Este versículo está no capítulo de Marcos, mas para chegar até ele, tu precisas de começar desde o primeiro capítulo. Compreendeste, Edir?

Eu não queria desistir. E insisti revelando o que habitava o meu íntimo:

— Bispo Tito, mas eu nasci de novo e sou batizado com o Espírito Santo... O que eu preciso mais? Por favor, deixe-me ganhar almas!

— Edir, tu sabes que não trabalhamos assim. O nosso sistema é de comunidade – respondeu.

O sistema de comunidade foi adotado pela Nova Vida, nos anos 1960, a partir da metodologia de um então famoso teólogo argentino chamado Juan Carlos Ortiz. Ele fundou a maior Igreja pentecostal de Buenos Aires naquela época e espalhou os seus dogmas e as suas doutrinas pelos países latinos, entre eles o Brasil. Esse sistema de evangelização, também chamado de "células", consiste em aulas da Bíblia para um pequeno grupo de vizinhos e conhecidos na residência de um frequentador da Igreja. Quem lidera as aulas sempre são dois enviados da Igreja, selecionados a dedo pelos dirigentes do ministério.

Eu questionei as limitações lógicas da doutrina.

— Mas e os índios, bispo? Como serão eles alcançados se fizermos apenas este trabalho evangelístico? O ideal seria manter esse tipo de obra, mas sem impedir a realização das demais. Nesse espírito, como vamos alcançar as tribos indígenas?

— Edir, não é bem assim... – alegou.

Confesso que perdi a paciência. E rasguei o verbo:

— Então é o seguinte, bispo: gostaria de comunicar-lhe que eu vou deixar a Igreja.

Ele assustou-se. E continuei:

— Nem sei se a Ester vai me acompanhar. Quer ela vá comigo quer não, estou de saída. A decisão está tomada.

A conversa terminou ali. Deixei o templo indignado. A Ester costuma dizer que esta foi a minha primeira grande revolta. Eu já estava casado, tinha apenas a minha filha Cristiane, apresentada no altar da Nova Vida dois anos antes. Mas, naquele instante, não me preocupei com a minha família nem com nada mais.

Era o momento de decisão.

Jacó lutou com Deus até conseguir o seu objetivo. Destemido, mostrou ser impossível transformar qualquer situação contrária com conformismo. É preciso espírito de guerra para alcançar as promessas divinas. A luta de Jacó com

Deus durou até ao amanhecer. "Disse este: Deixa-Me ir, pois já rompeu o dia. Respondeu Jacó: Não Te deixarei ir se me não abençoares. Perguntou-lhe, pois: Como te chamas? Ele respondeu: Jacó. Então, disse: Não te chamarás Jacó, e sim Israel, pois como príncipe lutaste com Deus e com os homens e prevaleceste" (Génesis 32.26-28).

Daquele dia em diante, intensifiquei a minha dedicação às iniciativas de pregação da Palavra de Deus até que o Espírito Santo me mostrasse um caminho definitivo a seguir, ou seja, até que tivesse a oportunidade de pregar o Evangelho no altar. Eu já vinha a executar espontaneamente estas ações nos anos anteriores. Percebendo a falta de desejo da Igreja em me usar, parti para falar da fé nas áreas de miséria e sofrimento do Rio de Janeiro, ao mesmo tempo em que trabalhava na lotaria e avançava com a minha vida pessoal.

NUVEM QUE NÃO PASSA

Ainda quando era solteiro, quem me acompanhava nessas incursões era o meu atual cunhado Romildo Ribeiro Soares, casado com a minha irmã mais nova, Magdalena. Todos nos conhecemos no grupo da juventude da Nova Vida. Encontrei o Soares pela primeira vez em 1968 e, desde então, esporadicamente, passamos a divulgar a fé juntos.

Costumava aproveitar a boleia dele com destino aos locais do nosso trabalho voluntário, entre eles, o Hospital Óscar Clark, no bairro do Maracanã, bem vizinho ao estádio. Era um instituto de reabilitação de fraturados e portadores de deficiência física permanente ou temporária. Vi cenas muito comoventes de homens, mulheres e até crianças lutarem para recuperar os movimentos das pernas ou dos braços. Usávamos aquele ambiente para levar uma mensagem de apoio e confiança aos enfermos e seus familiares.

Eu percorria as camas, uma a uma, para retirar os pacientes e conduzi-los a uma pequena sala destinada pela direção do hospital ao ato das orações. Muitos chegavam na maca com as pernas engessadas, erguidas para tratamento. Outros, com as mãos enfaixadas ou os braços imobilizados. Os casos mais graves, geralmente com paralisia na parte inferior do tronco ou lesões sérias na coluna vertebral, vinham acompanhados dos enfermeiros. Semanalmente, todas as manhãs ou tardes de sábado, fazíamos esta doação ao próximo com um único objetivo: conquistar aquelas almas para o Reino dos Céus.

Como o Soares era muito tímido, era eu que transmitia a palavra da fé e, em seguida, efetuava uma prece, com ou sem imposição de mãos. Ele organizava a apresentação de um vídeo sobre milagres. O Soares sempre foi muito admirador de um renomado reverendo norte-americano chamado Thomas Lee Osborn, conhecido pelos seus livros, filmes e documentários sobre curas em massa. Esse conteúdo religioso, recebido regularmente do reverendo, mostrava histórias de feitos sobrenaturais na Europa, na África e em outras partes do mundo. Lee Osborn chegou a enviar um pequeno projetor de cinema para o Soares com o objetivo de o auxiliar no ofício espiritual.

Decidimos ampliar essa iniciativa às áreas pobres e desamparadas do Rio. Desenvolvemos o mesmo tipo de evangelização, entre outras, na comunidade da Rocinha, já naquele tempo uma das maiores do Brasil. A estratégia funcionava sempre da mesma forma: passávamos quatro ou cinco dias distribuindo centenas de folhetos nos becos e nas vielas convidando os moradores a assistirem aos filmes de Osborn. No dia marcado, após a apresentação, eu orava por famílias destruídas, doentes, desempregados, viciados, prostitutas e demais excluídos.

Ao saber da minha decisão de deixar a Nova Vida, o fundador da Igreja, bispo Robert McAlister, convocou-me para uma conversa reservada e pediu que Ester me acompanhasse. Educado e de maneira respeitosa, assegurou-nos de que se sentia infeliz com a notícia e aconselhou-me a não tomar nenhuma atitude.

— Bispo Robert, já expliquei ao bispo Tito. Há vários anos que espero por uma oportunidade que não chega nunca. Eu não suporto mais ver a nossa Igreja na presença de Deus e as pessoas lá fora sofrendo. Eu quero ganhar almas, mas não me deixam!

Ele ouviu-me resignado. Apenas afirmou que me compreendia e, em seguida, pediu para falar a sós com a Ester.

— Calma. É só fogo de palha, Ester. Não se preocupe. O Edir está muito empolgado. Eu desejo muito que vocês continuem na nossa Igreja – discursou McAlister.

A Ester calou-se. Apenas abaixou a cabeça. Ela sabia o que existia dentro de mim.

—Fique tranquila, Ester. Eu garanto: isso que o Edir está a viver é uma simples nuvem passageira – concluiu McAlister.

A Ester permaneceu ainda mais três meses na Nova Vida, participando dos cultos de quarta e domingo, aguardando a nuvem passar. Mas a "previsão do tempo" era outra: a nuvem jamais passaria. Eu deixaria a Nova Vida e, graças a Deus, o sol brilharia para mim.

Com a saída solitária da Nova Vida, prossegui as minhas missões evangelísticas. Eu já tinha tomado um novo rumo. Estava convicto do que eu queria. A minha atitude não voltaria atrás. Mas o que fazer exatamente a partir daquele momento?

Ir para onde? Eu não aceitaria apenas transferir cartão de membro para outra denominação. Para isso, eu manter-me-ia na Nova Vida. O meu sonho era iniciar uma Igreja do zero. Mas como começar uma obra sem estrutura ou condições financeiras? Eu tinha apenas vontade, nada mais. A minha fé sinalizava para um só caminho: era preciso aguardar.

Apesar de dececionado por não ter sido considerado capaz, deixei a Nova Vida sem nenhuma revolta ou ressentimento contra a Igreja. Muito pelo contrário. Foi lá que aprendi a viver pautado nos ensinamentos do Evangelho, a ser fiel nos dízimos e a andar com retidão de caráter. Foi lá onde conheci a Ester, onde nos casámos e apresentámos as nossas filhas a Deus.

Depois de sair, nunca falei mal da Igreja, tanto que torno público, sem pudores, o lugar onde tive o meu encontro com Deus e nasci do Espírito Santo. Na época, prossegui com um relacionamento cordial com os bispos e pastores da congregação e jamais ousei influenciar os meus amigos e conhecidos a saírem de lá. Não seria justo nem leal. A maior prova disto foi a permanência da minha própria esposa e das minhas filhas no momento em que saí.

Hoje em dia, muitos pastores têm abandonado a Igreja Universal cheios de ódio e com espírito de vingança. Tiram as mãos do arado semeando críticas ferozes e maldosas, ataques covardes, imoralidades, faltas de consideração sem a mínima demonstração de respeito e gratidão. Não por mim ou pelos demais bispos, pastores e obreiros que os ajudaram quando chegaram oprimidos por demónios, mas, sobretudo, por Deus.

Curioso é que se trata de um comportamento exatamente igual ao observado nos espíritos incorporados quando expulsos das vidas que escravizam. Cheios de raiva, esbravejam ao gritar que me odeiam, odeiam a Igreja Universal e os demais servos da obra de Deus. Por que tantos pastores e bispos deixam a Igreja e têm orgulho em espalhar tanto ressentimento? Têm prazer em criticar com fúria quem tanto os ajudou quando mais precisavam? O "Evangelho do ódio" é incompreensível, lamentável e diabólico, praticado exclusivamente pelos que não são de Deus. Esta é a verdade nua e crua. Seres humanos necessitados do nosso perdão e das nossas contínuas orações.

Sozinho, fora da Nova Vida, continuei as missões ao lado de Romildo Soares. Como eu, ele também desejava doar a vida em nome da fé. Foi quando me apresentou outra Igreja pentecostal para a qual pretendia se mudar e ingressar como pastor. Era chamada Casa da Bênção, então liderada no estado do Rio de Janeiro pelo pastor Cecílio Carvalho Fernandes, no bairro de Senador Camará.

Observei pela primeira vez com ousadia a manifestação e expulsão de demónios. Fui assistir aos cultos de libertação pouquíssimas vezes, mas suficientes para arrancar em definitivo qualquer medo de enfrentar o diabo. Vi a intrepidez em enfrentar o mal, mas faltava o ensinamento da Palavra de Deus, tão presente e marcante na Nova Vida. Pouco a pouco, por direção do Espírito de Deus, comecei a idealizar o modelo considerado ideal para a Igreja dos meus sonhos. Um trabalho espiritual capaz de provocar um terremoto no inferno. Uma fórmula guardada dentro do meu peito e no meu intelecto. Uma inspiração do alto.

Antes de mim, Soares deixou a Nova Vida rumo à Casa da Bênção juntamente com outro membro, colega de Igreja: Samuel Coutinho. Após a insistência de Soares, decidi acompanhá-los na esperança de ser notado na escolha dos pregadores. Pouco tempo se passou e os dois foram consagrados pastores por Cecílio Carvalho. E eu não. O Cecílio prometeu que me consagraria, mas eu deveria permanecer um período maior de experiência.

— Edir, tu ainda não estás preparado. Preciso de acompanhar a tua evolução mais de perto, só depois é que te posso elevar a pastor – afirmou Cecílio.

Outro "não" na minha vida. Também ali, ninguém via em mim qualquer virtude ou talento que chamasse à atenção. Fui novamente colocado de lado, excluído, diminuído. Nas minhas orações, ajoelhado, sozinho no meu quarto, perguntava qual era o motivo para tanta frustração.

— Por que ninguém repara em mim, Senhor? Tudo é para arrefecer o meu ânimo. Eu só quero Te servir com a minha vida – desafogava-me para Deus.

Parecia existir um enorme complô para me fazer desistir.

No meio desta batalha espiritual, um episódio na minha vida obrigou-me a um tudo ou nada. Outro momento de certeza para transformar a minha história.

ESMURRADAS

E nfermeira, onde está a minha filha? Onde está a minha filha? Eu quero ver a minha filha!

O apelo era meu às enfermeiras da maternidade do Instituto de Assistência dos Servidores do Rio de Janeiro, no centro da cidade, na manhã de domingo, dia 20 de janeiro de 1975. A atitude da equipa médica provocava-me agonia. Porque é que, três dias depois do parto, a mãe ainda não tinha conhecido o bebé? Logo imaginei que ocorria algo errado. Assim que a criança nasceu, foi levada para o teste do pezinho e não voltou mais.

A Ester, ainda sob o efeito da anestesia da cesariana, não tinha visto com nitidez o exato instante em que conduziram a criança, nascida na sexta-feira. Eu fui impedido de acompanhar o parto porque era um procedimento comum dos hospitais públicos da época. O pai somente era autorizado a encontrar a mãe nos dias de visita, como naquela sombria manhã de domingo.

Desde o fim do efeito da anestesia, a Ester perguntava pela nossa filha com insistência. Em vão. Observava as outras mulheres receberem os seus bebés para a amamentação e o nosso, nada.

A notícia poderia ser dada apenas na presença do pai. Ninguém sabia como seria a reação da mãe. Cheguei impaciente ao quarto.

— Onde está a nossa filha, Ester?

— Não sei, Edir. A enfermeira não me diz nada, só diz que a levaram para lhe dar banho e não me mostra o bebé – respondeu a Ester, ainda acamada. – Estou preocupada. Vê se tu descobres alguma coisa.

Saí pelos corredores do hospital perguntando o destino da criança. De repente, a chefe das enfermeiras chama-me a um canto e pede-me para que aguarde. Confere o nome do bebé.

— Sim, é Viviane. Viviane Rangel Bezerra – confirmei.

— Calma, pai. Já vai chegar. Fique tranquilo – afirmou, um tanto agitada. Em seguida, pediu-me para acompanhá-la até outra sala.

Aguardei ansioso. Minutos depois, dois médicos aproximam-se de mim para "preparar" o meu espírito para a cena que marcaria a minha vida: a enfermeira entrega-me o bebé com uma aparência difícil de esquecer. Enrolada num cobertor, a minha filha Viviane. Magrinha, com olheiras, com o rosto deformado. Uma ferida aberta na gengiva, sem uma parte dos lábios, com uma fenda no céu da boca.

— É uma deficiência física de nascença, ela está bem – explicou o médico, na tentativa de me consolar. – Chamamos de lábio leporino e palato fendido. Em resumo, é uma má formação congénita.

— Ah, não quero isso, não – reagi, nervoso, sem pensar no que dizia.

Fomos para o quarto. Ansiosa, a Ester fixou os olhos em mim.

— Calma, a imagem é feia. Tens de ser forte – disse-lhe, segurando uma das suas mãos.

Ao olhar novamente para a Ester, não me contive. Ela tentava limpar o rosto encharcado de tantas lágrimas. Chorei também. Sozinhos, exprimimos a nossa tristeza por alguns minutos em silêncio. Mas algo explodiu dentro de mim naquele exato momento. Elevei o meu pensamento para Deus. O meu corpo estava possuído por uma fortaleza inexplicável. A minha dor transportou-me direto para o trono de Deus. Eu estava a sofrer por prever a rejeição que a minha filha sofreria na escola durante a infância e a adolescência e, talvez, pelo resto da vida. Os meus pensamentos viajavam até aos primeiros anos escolares e projetavam o futuro dela. Vivi o passado e o futuro naquele instante. Verdadeiro tormento.

Mas, em vez de procurar consolo nos meus entes queridos ou mesmo na Igreja, parti para cima do problema com uma ira incontrolável.

Decidi orar. Mas não foi uma oração comum. Fechei as mãos e, com raiva, esmurrei a cama inúmeras vezes.

— Meu Deus, agora ninguém me vai parar. Nenhuma família, nenhuma esposa, nenhum futuro, nenhum sentimento, nada. Ninguém me há de parar! Ninguém, ninguém! Chega, chega!

Ali foi gerada a Igreja Universal do Reino de Deus.

A minha revolta não se voltou contra Deus, mas contra o inferno que provoca em milhões de seres humanos o mesmo sofrimento que eu sentia naquele instante. De uma vez por todas, estava determinado a renunciar cem por cento ao meu eu no altar. Entregar-me-ia como nunca, mesmo se nenhuma Igreja ou pastor acreditasse na minha garra em servir a Deus. Eu pagaria o preço que fosse para me doar à causa dos menos favorecidos e rejeitados.

Ao deixar o hospital, no meio da tarde, parti para o apartamento da minha mãe, no largo da Glória, zona sul do Rio de Janeiro. Foi na casa de dona Eugênia, mais conhecida como Geninha, que a família conheceu o problema de Viviane. Estava, naturalmente, muito entristecido, mas convicto das minhas atitudes dali em diante.

— Eu não vou ficar com raiva de Deus. Vou ficar com raiva do diabo. Agora mesmo é que eu vou invadir o inferno para resgatar as almas perdidas – disse, na frente de irmãos, sobrinhos e primos.

Ao voltar para a casa, no bairro do Grajaú, meditava no meu terrível domingo. Em tudo que pensava, uma única certeza inundava o meu ser: mais do que nunca, estava decidido a largar o meu emprego e todos os meus objetivos pessoais em prol de quem sofre longe de Deus. Era questão de tempo. Tinha percebido, de facto, o que significa a expressão sofrimento.

Também era impossível deixar de pensar nas dificuldades que Viviane enfrentaria ao longo da idade. Eu cresci com uma deficiência física. Sabia o que era isso. Ao lembrar-me do estado deplorável da Viviane, recordei-me do meu defeito de nascença. Olhei para as minhas mãos. A deficiência nos meus dedos, que os deixam meio curvados, falhados. Isso provocou-me complexos de inferioridade na infância. Imaginei como seria penoso para uma adolescente vencer um defeito no rosto, ainda por cima na parte do corpo humano que mais desperta a vaidade feminina.

Pensava, ainda, nos obstáculos financeiros que surgiriam com a doença da Viviane. Tudo para tentar impedir-me de abandonar o trabalho e pregar a Palavra de Deus. Eu já vivia com as contas apertadas, tanto que a gravidez das nossas duas filhas não foi planeada. Sete meses após o nascimento de Cristiane, fomos apanhados de surpresa com a nova gestação. A notícia chegou a nos assustar.

A Ester tomava contraceptivos com tanta frequência a ponto de sofrer com náuseas e mal-estar. Eu também me preservava com o uso do preservativo, mas não deu certo. Com a chegada da Viviane, não tive outra opção. Aumentei as minhas atividades profissionais para complementar a renda de casa, mas, ainda assim, não era suficiente. Contava com a solidariedade do meu irmão Celso, então comissário de bordo que, às vezes, nos doava carnes e outros alimentos de qualidade.

A Ester ainda ficou internada no hospital por mais cinco dias. Ao retornar, iniciamos uma longa batalha para criar a Viviane com saúde. Não era uma tarefa fácil. A alimentação com leite era um desafio diário. O bebé não podia ser amamentado porque não conseguia fazer sucção. Mesmo pingando leite na colher, de gota em gota, ainda corria o risco de engasgar devido à ausência do céu da boca. Após dez dias em casa, a Viviane engasgou-se e começou a ficar roxa. Cada vez mais roxa.

Ester gritava.

— Edir, pelo amor de Deus! Ela não está a respirar. Faz alguma coisa, faz alguma coisa, ela vai morrer!

Não sabia o que fazer. A Viviane sem ar. Não deu tempo de orar. Levantei o bebé para o alto e gritei:

— Jesus!

A Viviane tossiu e retomou a respiração. Ficou provado o ilimitado tamanho do meu amor por ela.

MÃE DE GUERRA

Conforme o crescimento de Viviane, novas complicações surgiram. Ela sempre alimentava-se mal, por isso, tinha doenças com facilidade, como constipações fortes e infecções urinárias. Com apenas um aninho, fez a sua primeira cirurgia. Um procedimento doloroso para nós e para o bebé. No total, foram doze operações até à pré-adolescência. Em todas, como qualquer criança, ficava muito nervosa por causa da aplicação das anestesias. Não sabíamos o que fazer para acalmá-la. Nos pós-operatórios, ela vomitava muito sangue devido às agressivas interferências na face.

Quanta amargura, quanto sofrimento. Não consigo lembrar-me desses factos, ainda hoje, sem ter vontade de chorar.

Foi uma fase muito difícil da nossa vida, mas que resultou na salvação de milhões de almas em todo o planeta. A Igreja Universal foi criada naquele janeiro de 1975. Eu já não tinha dúvidas sobre o rumo a seguir. Mesmo como evangelista, batalhando um espaço em uma Igreja, eu desejava apenas salvar almas. Estava indignado por não ter a oportunidade de me tornar um pregador, mesmo insistindo sem cessar.

O nascimento da Viviane gerou o meu grito de independência. Se ela não tivesse nascido doente, a Igreja Universal não existiria. A minha revolta estaria adormecida de tal forma, talvez, que voltaria a tornar-me um simples frequentador da Nova Vida. Eu sofri e posso pregar sobre o sofrimento. A Igreja Universal não prega o que aprendeu na escola ou numa faculdade, mas pelas lições práticas do Espírito Santo na vida.

As dores da Viviane fizeram bem à Ester, por mais surreal e inimaginável que isso possa parecer a qualquer mãe com um filho doente. Isso mesmo: A Ester aperfeiçoou-se como mulher de Deus. Ela foi uma verdadeira heroína, principalmente durante a infância e adolescência da nossa então filha mais nova. A sua importância para mim ficou ainda mais evidente nesse período tão perturbador da nossa vida.

Coube a Ester, em silêncio e sem murmuração, administrar as crises da infância geradas em função da deficiência da Viviane. Na escola, ela chegou a sofrer *bullying*, principalmente no período em que morámos nos Estados Unidos. Os outros colegas divertiam-se com agressões físicas por causa da sua boca ser diferente.

Apesar de estudar terapias de fala, a Viviane mal conseguia pronunciar com perfeição, o que dificultava a sua compreensão e a irritava com frequência. A única capaz de entendê-la com certa facilidade era a Cristiane. A irmã mais velha cresceu como protetora da mais nova. As duas viraram confidentes e amigas inseparáveis. Os psiquiatras diziam que os complexos da Viviane jamais se apagariam, mesmo na fase adulta, mas o encontro dela com o Senhor Jesus, exatamente como ocorreu comigo, eliminou esses sentimentos negativos.

Feliz com a chegada da nossa primeira filha, a Ester realizava-se ao receber elogios pela beleza e simpatia da pequena Cristiane. Adorava tirar fotos para registrar os primeiros anos de vida da criança. Com a chegada da Viviane, a Ester teve de enfrentar uma situação oposta. Por vezes, apanhava o autocarro para levá-la ao tratamento no hospital e muita gente suspirava de aversão e susto.

— Muitas mulheres me diziam que era mau-olhado — conta a Ester, que, ao deparar com o preconceito nas ruas, voltava para casa arrasada. – Eu olhava para as mulheres a fumar, no colo, com um bebezinho perfeito, cheio de saúde, e a minha filha naquela situação. Eu que ainda por cima tinha uma vida íntegra com Deus.

Durante os dias em que conversámos para relembrar o passado, com o objetivo de organizar as lembranças para este livro, surgiu uma revelação inédita da Ester. Inclusive para mim.

— Quando casámos, a minha mãe alertou-me: "Tu tens a certeza de que vais te casar com ele? Quando tiveres um filho, ele vai ter o mesmo defeito do pai" – recordou. – Eu retorquia: "Deus não vai permitir isso". Como qualquer mãe, ela tinha preocupação de me alertar. Mas tanto ela como eu sabemos hoje que a deficiência da Viviane não teve nenhuma relação com o Edir.

Deus permitiu aquela situação para um propósito. Ele jamais faz algo defeituoso. Seria incoerência: como um ser perfeito faria algo imperfeito? Impossível. Até porque eu não creio em, nem a minha inteligência aceita, colocar em

Deus a responsabilidade pela geração de filhos. Quem gera uma criança é o ser humano. Deus deu condições para a sua criatura gerar filhos, mas ele mesmo não interfere nessa lei fixa da vida.

Até alguns parentes se escandalizavam com a aparência da menina. Eu sofria sozinho e calado ao ver a Ester daquela maneira. Carregava esse sentimento comigo por onde andava. Ao mesmo tempo, a dor uniu-nos. Chorámos juntos. E demos a volta por cima juntos. Fortalecemos, ainda mais, o nosso estreito elo de ligação. Crescemos. Além disso, a Ester tornou-se ainda mais sensível ao sofrimento de quem vivia longe da fé, futuramente somando esforços comigo na inesgotável etapa de resgate dos sofridos.

Depois de muito tempo, agora já uma mulher de 37 anos, casada e feliz, com uma aparência perfeita, a Viviane revelou com mais detalhes o que somente ela viveu naqueles tempos de amargura. Muitas situações que eu nem sequer imaginava. Numa carta de homenagem à Ester, ela fez um desabafo tocante.

Querida mãe,

Quem nessa vida me amou com tanta força? Quem creu em mim mesmo nos momentos em que ninguém acreditou?

Mesmo diante de uma fisionomia que abatia a ela mesma, encontrou força para lutar, para acreditar que seria capaz de encontrar a saída. Ainda que todos os especialistas insistissem no contrário, que aquele problema nunca iria ter solução, e sim se agravaria com o meu crescimento, deixando traumas e sequelas.

Que dor cruel para uma mãe ter de engolir as dificuldades que encontrava no caminho. Foi ela quem encarou os meus primeiros problemas gerados pela minha situação. Dentro de si, foi ela quem viu o olhar crítico das pessoas. Foi ela quem teve de lidar com o problema de perto e, ainda assim, fazer-se de forte para toda a família.

Nas cirurgias, quando eu ficava cheia de medo, ela amparava-me. Só mesmo ela podia trazer isso. A sua presença trazia certeza. O seu cuidado trazia proteção. E o seu afeto trouxe uma segurança dentro de mim de que tudo iria terminar bem.

Quem me trouxe aqueles princípios morais que carrego comigo até hoje? E por que as suas palavras traziam tanto poder para dentro de mim? Porque ela era e é equilibrada. Nada era motivo para deixá-la descontrolada, mesmo quando eu chegava de uma cirurgia e estava nervosa.

Ela sabia controlar a situação. Ela apaziguava-me com o seu jeito sábio de me ensinar. Ela sempre contornava a situação, fazendo a minha irmã mais velha ceder as suas vontades por minha causa.

Eu, com certeza, enfrentava momentos difíceis para uma menina de cinco anos, quando descobri as minhas imperfeições físicas, e também que a minha fala não era igual à das demais crianças. Que situação! Era um caos na minha vida. Conheci o desprezo e o preconceito dos outros, os que não eram da minha família.

E o que se passou?

A minha amada mãe cumpriu o dever dela muito bem. Ela não sabia que eu enfrentava tais problemas na escola, e que me sentia um extraterrestre quando saíamos de casa. Ela sempre foi a mãe atenciosa, carinhosa e beijoqueira. Ela fazia-me esquecer de todos os dramas vividos lá fora. Eu era amparada no meu lar.

Cresci num lar cheio de abrigo, mas também de educação. Ela usava a sua autoridade para colocar limites, mas não parava por aí, ela trazia os princípios morais. Foi ela quem me fez sempre perceber que era eu quem tinha de mudar, não os outros. Ela ensinou-nos a valorizar as pessoas, a apreciar o trabalho feito, a servir, a honrar, a amar sem limites!

Uma coisa que me marcou muito nos ensinamentos dela foi isso, mas também o vigiar o meu próprio instinto. Na verdade, foi ela o instrumento essencial para que eu chegasse a reconhecer que precisava de Deus.

Ela fez-me ver a dura realidade – a verdade do meu eu doía muito, e muitas das vezes eu relutava dentro de mim com a verdade que ouvia, mas não tinha jeito –, os princípios estavam ali, e esses princípios foram o temor e respeito.

Minha querida mãe, quero que saibas que até hoje procuro encontrar algo que demonstre a minha gratidão por tudo que tu foste e fizeste por mim. Tu nunca morrerás dentro de mim! Nunca! Pode a minha vida ter uma reviravolta, mas os teus conselhos seguirão fechados a sete chaves. E sabes o que mais? Todos os conselhos, um por um, só me fizeram bem.

Amo-te, e gritaria para todos ouvirem o meu amor e apreciação por ti. Só tenho um conselho para todas as filhas: honra o teu pai e a tua mãe, pois devemos a nossa vida aos sacrifícios deles.

Viviane de Freitas

Há pouco tempo, Cristiane, a minha filha mais velha, também colocou no papel um pouco das suas experiências ao lado da irmã no período em que lutámos contra a deficiência física dela. Como sabemos, os irmãos têm uma ligação afetiva especial, muitas vezes, inexplicável. São palavras que traduzem impressões obtidas unicamente por ela e provam como a doença da Viviane mexeu com a nossa família.

A minha irmã era a minha melhor amiga e vice-versa, mas infelizmente houve momentos em que uma passou a ficar na sombra da outra, e como não podia deixar de ser, um pedacinho dentro de nós ficou terrivelmente afetado por causa disso.

O seu defeito de nascença levou-a a uma profunda necessidade de atenção, e, para aliviar a sua dor, a nossa família e amigos davam mais atenção a ela. A minha falta de defeito de nascença levou-me a uma profunda culpa, e também a me contentar por estar constantemente na sua sombra.

'Vivi' cresceu acostumada a ter atenção e quando isso não lhe era dado, era um problema. Eu cresci acostumada a estar na sombra, escondendo-me tanto quanto pude atrás das pessoas que eu achava que eram mais merecedoras.

E, embora eu tenha sido eventualmente batizada com o Espírito Santo na minha adolescência, a insegurança acompanhava-me o tempo todo. Aonde quer que fosse, lá estava ela. Tudo o que eu fazia, lá estava ela para me perturbar. Todos que eu conhecia, lá vinha ela à tona, terrivelmente.

Então, tornei-me conhecida como a irmã "chata", ou "aquela que, provavelmente, iria se casar mais tarde na vida", e as famosas – sempre que as pessoas me chamavam, diziam o nome da minha irmã... *"Oh não, você é a outra, Cristiane, não é?"*. E então, normalmente, vinha a seguir: *"Eu confundo sempre os vossos nomes"*. Mas isso nunca acontecia com a minha irmã... Interessante...

Em vez de ficar ofendida com os comentários ou, pelo menos, objetá-los, eu via-os sempre como provas para a minha já distorcida descrença em mim mesma. Sim, eu não sou tão engraçada como a minha irmã. Sim, eu tenho uma conversa meio chata. Sim, eu sou tímida. Vou ter muita dificuldade em encontrar alguém que me ame da maneira como eu sou.

Sim, eu não sou tão corajosa como a minha irmã, nem tão forte. Talvez seja melhor ficar aqui, na sombra de todos os outros na minha vida. O meu casamento mudou tudo, mas não imediatamente.

Levei anos para livrar-me de toda a bagagem que eu tinha guardado durante toda a minha infância. Mas, quando finalmente consegui, o meu casamento mudou completamente. Eu senti-me atraente pela primeira vez na minha vida. Eu deixei o meu cabelo crescer, e ele permanece assim, desde então. Engraçado como a nossa aparência pode estar ligada à forma como nos sentimos por dentro.

"Qual é o segredo?", você pode estar a perguntar-se.

Fé. Comecei a acreditar em mim mesma sem a necessidade de ver nada. Eu fazia o que Deus colocava no meu coração, sem ao menos me preocupar com quão incapaz ou pequena era, e então ele começou a usar-me. Comecei a entender que, quanto menos somos capazes, mais Ele nos usa e, por isso, aproveitei!

Cristiane Cardoso

Assim como a Cristiane, a Viviane hoje é casada e vive com um homem de Deus. É uma mulher realizada, alegre, cheia de sonhos e, o mais importante, como eu, dedica a vida ao Evangelho. A sua deficiência ficou para trás. Faz parte de um passado escuro recordado apenas para entender os significados de tudo o que aconteceu.

E o que ocorreu de mais valioso foi a explosão de uma indignação que eu já carregava dentro de mim desde os primeiros anos após o meu encontro com Deus. A Igreja Universal nasceu ali, no ato de fé e de coragem, de me dirigir para Deus com revolta e ousadia.

O nascimento da Viviane despertou-me de vez.

A fé move-me, mexe comigo. Ela é pura, sem sentimentalismos, e nasce quando eu paro para pensar. Penso numa promessa de Deus e olho para a minha vida. Por que ela não se cumpriu? Eu devia ter uma vida feliz, seguindo as palavras de Jesus, e tenho uma vida completamente arruinada? Por que sou amargo e cheio de agonias?

A fé ferve no meu sangue. Mexe com a minha mente, invade a minha inteligência, deixa-me inquieto e até nervoso. Deus não muda. Deus quer aparecer para mim e para cada um que crê. Isso aconteceu com os heróis da Bíblia. David desafiou o gigante. Elias enfrentou os profetas de Baal. Josué derrubou as muralhas. Moisés enfrentou os exércitos de Faraó. Gideão teve a petulância de perguntar onde estava o Deus de seus pais, que simplesmente ouvia falar no passado mas não aparecia na sua vida. Não são descrições mitológicas ou inventadas pela criatividade humana. São reais.

A fé impulsionava-me. Era hora de dar um xeque-mate no meu destino.

Eu preparava o caminho

Meses depois do dramático nascimento de Viviane, já pregando como evangelista, mas sem ter ainda um ministério próprio, os ex-membros da Nova Vida, Romildo Soares e Samuel Coutinho, convidaram-me para inaugurar a Cruzada do Caminho Eterno. Coutinho era o presidente, Soares, o vice-presidente e eu, o tesoureiro, função que já desenvolvia profissionalmente na lotaria. Embora ocupasse esse cargo, nunca exerci a administração dos recursos financeiros da nova Igreja, aberta oficialmente no fim de 1975.

O trabalho evangelístico era distinto. A Cruzada era uma só mas cada um executava o seu ministério à parte. Pela minha inexperiência e por ser ainda um simples evangelista, eu acabei a maior parte do tempo auxiliando o meu cunhado nas pregações na zona norte do Rio de Janeiro, embora, uma ou outra vez, ajudasse na divulgação do trabalho de Coutinho. Ele estabeleceu a sua Igreja no bairro de Jacarepaguá, na zona oeste.

Usava o meu escasso tempo livre para falar do Senhor Jesus, seja nos bairros ricos ou nas regiões pobres e perigosas da cidade. Em algumas áreas, não me atrevia nem a levar a Ester. A comunidade Gardênia Azul, na baixada de Jacarepaguá, por exemplo, era foco constante da nossa ação de fé. As suas casas de pau a pique, as chamadas palafitas, formavam um cenário triste e cruel da nossa sociedade injusta.

Distribuía folhetos, ajudava os doentes e juntava desempregados, idosos, mulheres e crianças para uma roda de oração no centro comunitário. Percorria os caminhos de madeira, a um metro e meio do chão, entremeado à sujidade do esgoto e lixo industrial, para convidar os moradores a conhecer a cruzada. O local era palco incessante de tiroteios entre polícias e traficantes ou entre facções criminosas na disputa por pontos de venda de matérias ilícitas. Todos me respeitavam sempre. Muitos chegavam a pedir proteção para a guerra do crime ou a libertação do submundo da violência. Samuel Coutinho era o único que costumava acompanhar-me.

Na Cidade de Deus, o mesmo êxito no atendimento aos desamparados. Com menos de vinte anos de existência, formado a partir da política de remoção de favelas de outras áreas do Rio de Janeiro, na época do antigo estado da Guanabara, Cidade de Deus era um nome pomposo e atraente para novos moradores. Mas de Deus aquela "cidade" não tinha nada. Apenas moradores na esperança de uma vida melhor.

Eu continuava a trabalhar firme e dedicando-me como evangelista nos intervalos durante a semana e integralmente nos fins-de-semana. Era preciso sustentar a minha casa.

Além do emprego na lotaria, comecei a fazer pequenos trabalhos dando aulas particulares de matemática. A Ester continuava na Nova Vida, mas já me acompanhava nalgumas reuniões específicas.

Na zona norte, o ministério de Romildo Soares não evoluía e eu aproveitava as oportunidades para acumular experiência e ganhar almas. Realizei vários cultos mesmo sem saber pregar ou ministrar a libertação espiritual. O Soares tinha o hábito de desistir das reuniões devido à baixa quantidade de frequentadores.

Naquele tempo, funcionava assim: alugávamos um cinema por algumas horas, por um determinado período de dias da semana, para efetuar reuniões especiais, as chamadas "Campanhas de Fé". O valor do aluguer não era barato. Com a renda acertada, saíamos às ruas da vizinhança para convidar o povo aos cultos. Se a reunião enchesse, o trabalho continuava. Caso contrário, procurávamos outro cinema noutra região da cidade.

Foi assim no ex-cine pornográfico São José, na praça Tiradentes, área central do Rio de Janeiro. Só que com uma aposta maior: o Soares decidiu pagar a primeira campanha publicitária na rádio para fazer encher o culto. Ele gastou do próprio bolso o equivalente a cinco mil reais na moeda de hoje, uma fortuna para quem, até então, não possuía estabilidade financeira. Encomendou centenas de folhetos distribuídos por mim praticamente em todas as ruas da região. Fui de casa em casa reforçando o convite. No dia, a deceção: o evento não juntou sequer quarenta pessoas. Ao aproximar-me do púlpito, vi o abatimento no rosto do meu cunhado. As reuniões seguintes foram realizadas por mim sempre com essa pequena quantidade de fiéis.

No Cine Méier, a cena repetiu-se. A primeira concentração não juntou cem pessoas, e o Soares desanimou novamente. Fiquei responsável pelos encontros para vinte, trinta pessoas durante um longo tempo. Na cidade de Rio Bonito, no interior fluminense, próximo de Niterói, a mesma situação. O difícil era viajar três horas de estrada para fazer reuniões aos sábados para, no máximo, vinte fiéis.

Em todos esses lugares, sempre dei o meu melhor. No Cine Bruni Piedade, por exemplo, a reunião estava quase vazia, mas, na minha visão, já era a imagem de um templo lotado com milhares de pessoas. Eu orava, cantava e passava fé com todo o vigor. Quem me via a pregar, não acreditava no esforço que eu fazia para uma quantidade tão reduzida de gente. Não me importava. Queria dar o melhor para o meu Deus. Desejava salvar pessoas para Jesus. Eu via o invisível porque sempre acreditei no significado de crer. "A fé é a certeza de coisas que se esperam, a convicção de factos que se não veem" (Hebreus 11.1).

Nos cultos que agrupavam mais gente, sempre ministrados por Soares e Samuel Coutinho, eu procurava auxiliar o máximo possível. Antes das reuniões, como era da praxe, distribuía convites debaixo de sol ou chuva.

Minutos antes do início da reunião, a ordem era executar sempre o mesmo ritual. Não podia falhar. Eu cumprimentava o público no microfone e, com pompas, ao som de música instrumental de fundo, anunciava quem estava para subir no altar.

— Boa-noite, povo de Deus! Daqui a pouco, recebere-mos a oração do grande homem de Deus, missionário R.R. Soares! Aguardem!

Um trio de músicos tocava acompanhando o som de uma fiel da cruzada. Os corinhos eram interrompidos quando eu começava a anunciar os "grandes missionários".

— Dentro de alguns instantes, a oração de fé e a manifestação de poder de um dos ministros do Evangelho mais respeitados do Rio de Janeiro: o missionário Samuel Coutinho! Aguardem!

E pedia aplausos. Apenas um ou outro atendia ao meu pedido.

Em retrospetiva, não posso deixar de obter aprendizagens sobre aqueles momentos vividos como evangelista. Sem dú-vida, tornaram-se para mim um dos costumes mais repro-váveis do meio evangélico. Eu obedecia porque era servo, um mero colaborador, mas nunca vi isso de forma positiva. Afinal de contas, eles eram pastores consagrados e não me achava no direito de questionar homens ungidos.

A vaidade entre os pregadores, principalmente os mais tradicionais, é desmedida, por vezes descontrolada. A ora-ção do rei David é conclusiva: "Teu, Senhor, é o poder, a grandeza, a honra, a vitória e a majestade; porque Teu é tudo quanto há nos céus e na terra; Teu, Senhor, é o reino, e Tu Te exaltaste por chefe sobre todos" (1 Crónicas 29.11). E David disse mais: "Riquezas e glória vêm de Ti, Tu dominas sobre tudo, na Tua mão há força e poder; Contigo está o engrande-cer e o dar força a tudo" (1 Crónicas 29.12).

É necessário mais algum comentário?

Diplomado num curso teológico na Igreja Evangélica onde dei meus primeiros passos na fé cristã.

Época em que iniciei como evangelista na zona norte do Rio de Janeiro

O coreto do Jardim do Méier onde realizei as minhas primeiras pregações ao ar livre, as quais renderam membros fiéis até hoje.

No prédio de uma antiga funerária, no bairro carioca da Abolição, uma das primeiras reuniões da história da Igreja Universal do Reino de Deus. Milhões de pessoas seriam resgatadas a partir daquele simples trabalho evangelístico.

No dia do meu
aniversário, ao lado
de Ester, quando fui
consagrado pastor
no altar da antiga
funerária, o primeiro
templo da Igreja
Universal do Reino
de Deus .

Nas fotografias
após a cerimónia
de consagração, a
esposa e as filhas
do Seu Albino
Silva da Costa.

Os pais da
Ester e a nossa
família. São
registos inéditos
de momentos
inesquecíveis.

A sete de junho de 1980, quando realizei o casamento do Bispo Paulo Roberto Guimarães e da sua esposa Solange. No final da cerimónia, corremos para uma eleição decisiva que definiu o futuro da Igreja Universal.

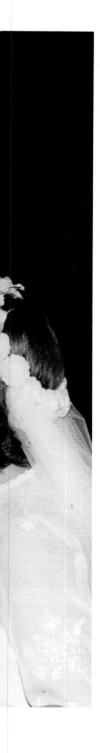

Abraçado aos primeiros obreiros voluntários da Igreja, futuramente consagrados a bispos. Ao lado, com o saudoso Renato Maduro, falecido a 12 de dezembro de 2010. Abaixo, com ex--bispo e ex--deputado federal Carlos Rodrigues.

Este Cartão, identifica o portador como

MEMBRO desta Igreja, inscrito sob o

N.º _002_ na Congregação de ABOLIÇÃO

A Igreja Universal do Reino de Deus solicita as autoridades civis, militares e eclesiásticas se dignem dispensar ao portador todas as facilidades e auxílio no desempenho de sua santa função cristã.

IGREJA UNIVERSAL DO REINO DE DEUS
A IGREJA DA BÊNÇÃO
Sede: - Av. Suburbana, 7.250 - Abolição - RJ.
Insc. 48.382 - Liv. A 8   C.G.C. 29.744.778/0001-97

Nome: ALBINO DA SILVA
Rua: Av. Suburbana   N.º 7178/201
Cidade RIO DE JANEIRO   Estado   RJ.

Assinatura do Portador
Assinatura do Pastor

Seu Albino, responsável por se ter descoberto o prédio da antiga funerária, ao conhecer as construções do Templo de Salomão, em São Paulo. O seu cartão de membro número 2 da Igreja Universal.

RIO DE JANEIRO
Culto atual que ministrei na nossa sede de Del Castilho, com milhares de fiéis. A nossa fé e os nossos objetivos continuam os mesmos do período da fundação.

Trinta e cinco anos depois de seu nascimento, a Igreja Universal do Reino de Deus se espalhou pelo mundo e está em mais de 200 países. Mais importante que sua presença, é a quantidade de pessoas recuperadas do lado amargo da vida.

TEXAS
Estados Unidos

TÓQUIO
Japão

MANILA
Filipinas

BUCARESTE
Romênia

LISBOA
Portugal

HONG KONG
China

MOÇAMBIQUE
Culto de inauguração que realizei na nossa sede, na capital Maputo, a 12 de março de 2011. Uma multidão foi obrigada a assistir à reunião do lado de fora do templo.

ÁFRICA DO SUL
Concentração de fé
em Johanesburgo,
na sexta-feira da
Paixão, em 2012. O
Estádio de Ellis Park,
onde o Brasil jogou
no Campeonato do
Mundo, foi pequeno
para o povo da Igreja
Universal.

O dia da oração dos humilhados em fevereiro de 2010. De joelhos, rasgámos os nossos corações diante de Deus. "Sereis odiados de todos por causa do Meu nome; aquele, porém, que perseverar até ao fim, esse será salvo" (Mateus 10.22).

O sim de Deus

A Igreja de maior sucesso da Cruzada do Caminho Eterno era mesmo a de Samuel Coutinho, em Jacarepaguá. Ele era famoso por vender macarrão e biscoitos com o uso de uma carrinha. A cada um ou dois meses, eu costumava levar no meu carocha algumas idosas do Cine Méier, as poucas fiéis dos cultos que sobravam para mim, para serem batizadas em Jacarepaguá. O dia de maior movimento juntava, no máximo, seis senhoras, enquanto o templo de Coutinho lotava com mais de 800 pessoas.

Nas noites de sexta-feira, invariavelmente, havia uma reunião com os pastores e as suas esposas e alguns evangelistas mais antigos na residência do presidente da Igreja. Num daqueles encontros, por volta das dez da noite, depois de cumprimentar a todos, eu e a Ester procuramos um canto da sala para ouvir a orientação pastoral de Samuel Coutinho. Chegámos ansiosos pela mensagem de fé porque, mesmo com um trabalho espiritual de alcance limitado, vivíamos na motivação de estar a lutar por vidas perdidas.

Estranhamente, mal se iniciou o encontro, Coutinho foi taxativo comigo. Fitou-me nos olhos e foi direto ao assunto:

— Olha, Edir, eu preciso de te dizer uma coisa. Rapaz, eu acho que tu não tens vocação para fazer a obra de Deus!

Um silêncio constrangedor invadiu a sala.

— Acho que tu deves ficar mesmo no teu trabalho, lá na lotaria, a ganhar o teu pão de cada dia. Tu não tens vocação, rapaz! – prosseguiu, ainda rude.

Eu dividia com os demais pastores, obreiros e auxiliares o meu entusiasmo em realizar um sonho antigo: largar o emprego para me dedicar cem por cento à obra de Deus.

— É o seguinte: vou te tirar o Cine Bruni Piedade e vou colocar lá o meu grupo para arrebentar. Vamos meter música, oração forte e vamos encher de gente – sacramentou, com dureza. – Entendeste, Edir? Não adianta. Tu não tens mesmo chama – insistiu.

Eu respondi:

— Tudo bem, pastor. Eu sei o que está dentro de mim.

— Tu só tens velhinhas lá, Edir – disse, rindo, com gargalhadas de gozo.

As palavras soaram como uma bomba no meu íntimo. Diante de todos, a minha paixão pelas almas era violentada. A minha dor não estava em perder o trabalho especial que fazia, mas em ser considerado sem condições de ganhar almas. Isso doeu muito.

Mas o Espírito Santo tocou-me forte naquele dia.

Flashes passavam na minha cabeça como se fosse um filme. As mesmas perguntas voltaram. Quando alguém vai acreditar no meu talento e na minha disposição? Justamente agora, a poucos passos do meu sonho, tudo novamente perdido? O meu encontro com Deus. O batismo com o fôlego divino. Os 16 capítulos de Marcos. O fogo de palha. A nuvem passageira. O não da Casa da Bênção. Viviane, bebé, nos meus braços. Os socos de raiva. A chamada do Espírito Santo não poderia ser uma mentira. E a revolta da fé? E o verdadeiro fogo que incendiava o meu espírito? E a paixão pelas almas?

"Meu Deus, eu apenas quero servir-te. Uma oportunidade. Uma chance", pensava. "Um sim. Quem me daria um sim?"

Durante toda a minha trajetória, eu apenas tinha ouvido "sim" da minha saudosa mãe e da minha fiel e inseparável esposa. Sempre fui amado e considerado pelos meus familiares, mas, fora eles, era rejeitado por tudo e por todos, até por quem eu mais respeitava dentro da Igreja. Entendo bem o significado da palavra rejeição.

Isso fez-me compreender ainda melhor os rejeitados deste mundo cruel. Com o meu Senhor, também não foi diferente. O profeta Isaías retrata bem a situação do Filho de Deus diante do mundo. "Era desprezado e o mais rejeitado entre os homens; homem de dores e que sabe o que é padecer; e, como um de quem os homens escondem o rosto, era desprezado, e dele não fizemos caso" (Isaías 53.3).

Pouco a pouco, entendi que jamais poderia ser flexível, mole ou acomodado para seguir as pisadas de Jesus. Nem muito menos simplesmente abraçar uma boa ideia, mas era necessário o meu sacrifício em cada passo. O "não" era o pão nosso de amargura no meu dia-a-dia. Além da minha mãe e da Ester, haveria alguém capaz de me dar um único voto de confiança?

O sim veio de Deus.

Somente uma palavra da Bíblia me animava, desta vez um excerto da carta do apóstolo Paulo à Igreja de Coríntios: "Deus escolheu as coisas fracas do mundo para envergonhar as fortes; e Deus escolheu as coisas humildes do mundo, e as desprezadas, e aquelas que não são, para reduzir a nada as que são" (1 Coríntios 1.27).

As palavras de Samuel Coutinho foram tão agressivas e humilhantes a ponto de incomodarem os presentes. Houve um silêncio sepulcral na sala. Até as crianças se calaram. O ambiente tornou-se tenso e incómodo. Mesmo como um pregador não consagrado, ainda assim eu era muito respeitado pelos demais auxiliares e obreiros. Trazia sempre uma palavra de fé que, muitas vezes, ajudava quem conversava comigo nos momentos difíceis.

O próprio Samuel percebeu a sua intolerância e logo tratou de desconversar:

— Bom, pessoal, então vamos orar. Vamos falar com Deus.

Cada um foi para um canto. Estavam cerca de 30 pessoas na reunião. Eu abaixei-me próximo a uma pequena mesa no centro da sala, dobrei os joelhos e iniciei a minha súplica. Na verdade, nem sabia como iniciar a oração tamanha a dor. Das profundezas da minha alma, apenas disse:

— Meu Pai... Meu Pai...

Eu contorcia-me de dor. Uma dor interior.

— Meu Pai! Meu Pai!

Foi diferente de tudo o que eu já tinha vivido. Simplesmente pronunciar "meu Pai" em oração tem um sentido, mas, naquele estado de espírito, no fundo do poço do meu ser, estas duas palavras ganharam um poder sobrenatural. O conforto do céu tomou conta de mim.

— Meu Pai! – repetia, desta vez alegre.

O consolo foi tão forte que eu comecei a rir e, em seguida, a gargalhar enquanto aumentava o tom de voz repetindo os mesmos termos.

— Meu Pai! Meu Pai!

Todos pararam de orar e olhavam-me perguntando-se o que estava acontecendo comigo. É muito difícil esquecer aqueles momentos assim como explicar o prazer que tomou conta de mim. A não ser quando recorro à direção do Espírito Santo ao apóstolo Paulo: "Pelo que sinto prazer nas fraquezas, nas injúrias, nas necessidades, nas perseguições, nas angústias, por amor de Cristo. Porque, quando sou fraco, então, é que sou forte" (2 Coríntios 12.10).

O prazer não se limitava a uma emoção forte ou a uma alegria momentânea. Era algo muito além. O gozo não era na alma, mas no espírito. Se fosse na alma, certamente eu iria saltar, dançar, cantar, enfim, expressar alegria no meu ser físico. Mas não era assim. Aquele momento foi marcado por uma intensa e sublime paz de espírito. O Espírito de Deus comunicou-se com o meu espírito e o sossegou definitivamente. Que maravilha!

Nesse exato instante, enquanto me lembro e escrevo o que aconteceu naquela noite, lágrimas de alegria inundam o meu ser.

Eu estava a receber o toque do próprio Deus. José foi repreendido pelo seu pai e pelos seus irmãos porque teve um sonho divino: "Sonhei também que o sol, a lua e onze estrelas se inclinavam perante mim" (Génesis 37.9).

A reunião daquela sexta-feira terminou com uma experiência inédita.

E eu continuei como evangelista lutando para socorrer mais vidas no Cine Bruni Méier.

Pouco tempo depois, surgiu uma novidade: como conhecia os proprietários da rede de cinemas, o Soares conseguiu logo um novo espaço para o nosso trabalho: o diminuto Cine Ridan, no bairro da Abolição, também na zona norte do Rio de Janeiro. Eu permaneci no Méier às quartas, às sextas e aos domingos e, nos demais dias da semana, auxiliava nas missões do Ridan. Mesmo assim, o trabalho não se desenvolvia, contava sempre com pouca gente. Até que um dia o Soares trouxe o que parecia ser uma nova perspectiva.

— Edir, conseguimos alugar o Ridan totalmente para nós – garantiu, radiante. – Está tudo certo com o dono. Vamos fixar a nossa Igreja lá.

Passámos dias colocando a mão na massa para a limpeza do salão. Desinfetámos as casas de banho, enxaguámos sanitas e pias, esfregámos o chão e as poltronas. Deixámos o cinema uma joia. Na hora decisiva, prestes a entregar o local definitivamente, o dono desistiu. Não tivemos outro remédio que prosseguir com os cultos no Cine Méier.

Para alavancar as reuniões, organizei pregações com dia e horário marcados no coreto da principal praça do bairro: todas as tardes de sábado. O trabalho era breve e objetivo. Juntava as pessoas, anunciava o poder de Jesus, cantava um hino tradicional e clamava por milagres. Eu mesmo transportava os equipamentos de som no meu carro. A música animada e de fé, verdadeira oração cantada, embalada pelos acordes de um pequeno órgão, chamava a atenção.

Se as águas do mar da vida quiserem te afogar,
segura na mão de Deus e vai.
Se as tristezas desta vida quiserem te sufocar,
segura na mão de Deus e vai.
Segura na mão de Deus, segura na mão de Deus,
pois ela, ela te sustentará.
Não temas, segue adiante e não olhes para trás,
mas segura na mão de Deus e vai.
Se a jornada é pesada e te cansas na caminhada,
segura na mão de Deus e vai.
Orando, jejuando, confiando e confessando,
segura na mão de Deus e vai.
O Espírito do Senhor sempre te revestirá,
segura na mão de Deus e vai.
Jesus Cristo prometeu que jamais te deixará,
segura na mão de Deus e vai.

Quem passava pelo coreto sabia que algo diferente acontecia ali. Mesmo apenas como evangelista, sem experiência com os métodos de libertação espiritual, eu ousava determinar a expulsão de espíritos malignos da vida dos que assistiam a mim. A curiosidade era geral. Eu entrevistava o demónio antes de colocá-lo de joelhos e mandá-lo embora. Um jovem manifestava-se sempre nessas orações fortes e sujava-me de cima a baixo.

O coreto era encardido e tinha um cheiro insuportável de urina. Ainda assim, eu mantinha-me de pé e prosseguia a rápida reunião com um ensinamento do Evangelho. Falava sempre da salvação e orava por quem desejava aceitar Jesus. No final, distribuía convites dos cultos nos cinemas. Cinco, dez, quinze, até trinta pessoas passaram a acompanhar fielmente as minhas pregações a céu aberto. Sábado após sábado, era possível ver um ligeiro progresso.

Humilde, o trabalho no coreto espalhou sementes que rendem frutos até hoje. Lembro-me de duas senhoras, irmãs viúvas, devotas a Deus, que seguiram conosco para as reuniões do Cine Méier e que apresentavam os seus dízimos sempre com notas novas e delicadamente perfumadas com talco no envelope. Quanto mais simples o trabalho, maior é o poder e maior a dependência de Deus. E o resultado, como esperado, maior a ação do Espírito Santo. É isso que eu mais procuro na Igreja atualmente: simplicidade, a essência da obra de Deus.

Ainda hoje, de tempos em tempos, encontro pessoas, geralmente idosas, contando como foram salvas por uma palavra ouvida naquele imundo e mal cheiroso coreto. Mensagens que o tempo apagou da minha memória, mas que mudaram a história de muita gente. Gente que não encontrei outra vez e que, talvez, nunca mais encontrarei pelo resto da minha vida. Almas conquistadas para o Reino de Deus. Dali do coreto, saíram membros e obreiros fiéis, muitos dos quais já se foram deste mundo, e até pastores e bispos da Igreja Universal. Homens e mulheres nascidos do Espírito que se multiplicaram pelo mundo afora.

Houve tanta salvação naquele tempo como há hoje em dia. A recompensa? O privilégio de servir ao Deus Altíssimo.

E foi no coreto que apareceu outra personagem indispensável para o surgimento da Igreja Universal.

SEMPRE SUSPEITO

Um dia, inconformado como sempre vivia, encontrei um dos primeiros participantes dos movimentos de fé no coreto do Méier. Albino Silva da Costa, mais conhecido por 'Seu Albino', era um metalúrgico de classe média da zona norte do Rio de Janeiro, na época com 53 anos, atormentado por graves problemas com toda a família. A sua mulher, Maria Veronese da Silva, chamada apenas de Dona Maria, também carioca tradicional daquela região da cidade, sofria refém de espíritos malignos desde a juventude.

Vivia dopada à base de calmantes fortes, desmaiava de uma hora para outra sem explicação médica e, com depressão crónica, passava meses sem se levantar da cama. Ela tinha 45 anos, mas aparentava ter muito mais idade. As suas filhas, as estudantes Alba e Rosalba, também padeciam com opressão e vazio interior. Era uma família sofrida que recorreu ao socorro de Deus nas reuniões do coreto e, em seguida, nas campanhas do Cine Méier e Ridan.

A agonia do 'Seu Albino' era tanta que, dia e noite, corria ao meu encontro na procura de ajuda urgente. Uma certa madrugada, fui chamado às pressas porque a Dona Maria tinha desmaiado, repentinamente, e praticamente já não apresentava mais reações vitais. Parecia morta. Encontrei a mulher estática na cama enquanto todos olhavam para mim e para ela. Perguntei o que tinha acontecido.

— Ela está a trincar a boca– observou a Alba, aflita.

A cena era espantosa.

Coloquei as mãos sobre a cabeça dela e orei com determinação. Nenhuma resposta. A Dona Maria continuava parada sem esboçar movimento. Orei novamente e nada.

— Ela continua toda dura, não se mexe – disse Seu Albino.

Naquele momento, pela direção do Espírito de Deus, lembrei-me do profeta Eliseu que se deitou sobre uma criança morta e passou o Espírito para ela. "Então, entrou, fechou a porta sobre eles ambos e orou ao Senhor. Subiu a cama, deitou-se sobre o menino e, pondo a sua boca sobre a boca dele, os seus olhos sobre os olhos dele e as suas mãos sobre as mãos dele, se estendeu sobre ele; e a carne do menino aqueceu" (2 Reis 4.33-35).

— Eu vou fazer uma coisa que nunca fiz, mas eu creio – avisei, de sobressalto. – Dê-me licença, Seu Albino.

De repente, subi a cama e deitei-me sobre a Dona Maria. O demónio não resistiu e manifestou-se de uma maneira como eu nunca tinha visto. Fiz um árduo trabalho de libertação, eram espíritos de atuação pesada. Em seguida, a Dona Maria voltou a si sem saber o que tinha acontecido nas últimas horas. Esta foi apenas uma das ocorrências no combate do inferno do início da minha trajetória como servo de Deus. Vou revelar, em detalhes, outras experiências marcantes na guerra contra as entidades do mal no nosso segundo livro de memórias.

A gratidão pelo apoio espiritual foi tanta que o 'Seu Albino' tornou-se meu parceiro para novas realizações. Descontraído após um dos cultos, numa conversa descomprometida no Méier, comentei com ele sobre um importante passo que sonhava dar no meu ministério.

— Olhe só, 'Seu Albino'... Devagar, devagar, graças a Deus, muita gente está a procurar-nos – avaliei, ainda tentando desfazer o nó da gravata. – Fogo, eu precisava abrir uma Igreja. O senhor vê... Quando a gente chega para a reunião, o cinema está todo sujo, nojento. Eu preciso de dar o melhor para essas pessoas.

— Vou sair para procurar um lugar, Edir, vamos a ver o que encontro – respondeu o 'Seu Albino''.

Dias depois, veio ter comigo animado.

— Edir, Edir! Vi um anúncio aqui na Abolição oferecendo o aluguer de uma antiga funerária. Parece ser um local muito bom. Tu não queres ir ver comigo?

Ao entrar no espaço, o meu rosto brilhou. Parecia contemplar o futuro. Via-me pregando no altar, os bancos de madeira lotados, os milagres multiplicando-se. Curas, libertação, fé, revolta, salvação. Vidas resgatadas da escuridão. Era ali o lugar.

— Ah, Seu Albino... – suspirei, percorrendo com os olhos cada detalhe do imóvel, ainda sujo e em desordem. – É exatamente isto o que eu quero!

— Eu consigo alugar o salão, Edir. Já falei com o dono, acertei o valor, está tudo certo – contou-me, antes de revelar o nosso próximo desafio. – Só existe um problema. Não temos fiador. A minha casa ainda não está paga, senão colocaria o meu nome na hora.

O aluguer era puxado: 9.530 cruzeiros, a moeda daquele período. Não autorizei regatear o preço para não correr o risco de perder o imóvel. Eu estava obstinado em fechar aquele contrato. Mas como conseguir um fiador? Quem confiaria num jovem pregador de 32 anos? Quem acreditaria que dali surgiria uma Igreja capaz de honrar os seus compromissos financeiros sem atrasos ou ordens de despejo? Quem acreditaria na realização do meu sonho? Quem acreditaria na promessa de Deus para a minha vida?

Saí da antiga funerária pensando ao ritmo de uma locomotiva. E logo veio uma direção.

— Já sei. A minha mãe, claro! – disse comigo mesmo.

O meu grande momento estava próximo de acontecer. Com o aluguer assegurado, passaria a dedicar o meu tempo integralmente à nova Igreja. Estava definido, enfim, a pedir demissão. Era preciso, no entanto, renunciar a um salário razoável e à estabilidade de 16 anos de funcionalismo público. Para famílias humildes como a nossa, o trabalho de servidor do Estado representava a garantia de uma vida livre do fantasma do desemprego.

Comecei de baixo. Galguei degrau a degrau, de estafeta até o posto de chefe da tesouraria. Essa carreira garantiu-me benefícios como maior tempo de férias, constantes licenças--prémios e aumentos salariais periódicos. Ganhei do Estado um diploma de bons serviços prestados quando completei dez anos de lotaria. Mas, como me entreguei a Deus, dois anos antes, no dia do nascimento da Viviane, eu finalmente largaria tudo para pregar o Evangelho. Os socos de raiva na cama tinham materializado a minha revolta de fé.

Tinha chegado a minha vez.

Corri para fazer o pedido da fiança à Dona Geninha. Sozinhos, somente eu e ela, expliquei como tudo iria ocorrer. Apenas ouviu-me concordando com cada palavra. Sabia que ela aceitaria desde o início. Mãe é mãe.

— Está bem, meu filho. Eu acredito em ti – sentenciou. – Só quero fazer um pedido, querido. Cuida para não perder o seguro de saúde. A Viviane precisa muito.

Ela tinha razão. O emprego na lotaria garantia assistência médica completa para mim e para a minha família, principalmente para a pequena Viviane. Ela tinha apenas dois anos e necessitava ainda de realizar várias cirurgias na boca além do tratamento com medicamentos caros e o acompanhamento ininterrupto de especialistas. Não tinha como pagar essa conta. E ainda por cima sem salário, não saberia o que fazer. Mas não duvidei.

— Fica descansada, mãe. Deus vai ajudar-me – garanti, agradecendo o voto de confiança com um beijo carinhoso e um abraço apertado.

Eu cria de facto. A carga de responsabilidades sobre os meus ombros pesava toneladas. Mas não fiz muitos cálculos. Foi um estalo, um relâmpago de fé que me fez agir sem titubear. Tanto que o compromisso com o valor do aluguer não me incomodava. Eu estava movido por uma confiança irrestrita.

A minha mãe colocou como garantia no contrato de aluguer o seu único apartamento, situado no largo da Glória. O acordo obrigava a série de exigências. A poucos dias da assinatura, o meu cunhado R. R. Soares tentou fazer a minha mãe desistir.

— Dona Geninha, não faça isso. É uma loucura. O seu filho não vai conseguir pagar. A senhora vai perder o apartamento, não faça isso – disse o Soares, completamente descrente. – analisei o contrato em detalhe. Se o Edir deixar de pagar por apenas três meses, eles ficam com o seu imóvel.

O Soares não acreditava em mim, apesar de fazermos a obra de Deus juntos. E não era somente ele. Com exceção da Ester e da minha mãe, muitos duvidaram. Para todos, eu carregava na testa uma tarja preta com a indicação: "suspeito".

— Não, Romildo. Eu vou assinar. Eu acredito no Edir – afirmou Dona Geninha.

A minha mãe, de facto, não desistiu. O contrato de aluguer da funerária estava assinado.

FIM DA DIVISÃO

O meu próximo passo foi pedir demissão da lotaria. Outra vez, novos conselhos de incerteza e medo. Amigos e parentes insistiam em fazer-me recuar da ideia, argumentando ser uma troca do certo pelo duvidoso. Alegavam que eu deveria ter paciência, aguardar tudo se definir melhor e não perder a segurança do emprego, com o apartamento da minha própria mãe penhorado e uma filha pequena dependente de tratamentos médicos, pagos pelo plano de saúde do Estado.

Tapei os ouvidos e tomei a decisão sozinho. Nem a Ester soube do exato momento em que pedi demissão. Agi só. A coragem para proceder dessa maneira não veio de mim, mas da direção e da força do Espírito Santo. A minha palavra era dívida. Lembrei a Deus da minha promessa e cobrei dele a sua promessa. Foi fé pura, sem emoção. Fé definida. Eu e Deus. Eu provei ao Senhor Deus e ele provou-me.

— Agora ou é ou não é. Ou tudo ou nada! – disse ao Espírito Santo, em poucos segundos, antes de entrar no setor de recursos humanos e assinar a minha carta de demissão.

Não tinha muito o que orar. A atitude tinha sido tomada. Mais do que nunca, estava na dependência de Deus. Fui chamado de maluco, irresponsável e inconsequente inúmeras vezes depois da minha saída da lotaria. Diziam que tinha colocado o meu futuro em risco. Mas eu prossegui inabalável na minha crença.

A atitude contrária de Romildo Soares seria um prenúncio do que aconteceria no futuro. Não era possível dividirmos a liderança de uma mesma Igreja. Ele pensava de modo diferente de mim. Não que isso me faça acreditar que estou certo ou errado, mas simplesmente tinha uma compreensão diferente. Esta é a minha fé e sigo em frente guiado por ela. Nenhum corpo subsiste com duas cabeças. Tinha de haver uma definição. A fé inteligente exige definição.

Começámos a Igreja Universal juntos, mas, no começo de 1980, quando me mudei para os Estados Unidos, com o objetivo de pregar a Palavra de Deus, as dificuldades acentuaram-se. Eu estava em Nova Iorque a convite de uma família de portugueses que conheci no bairro da Abolição, no Rio de Janeiro. Eles frequentavam a nossa Igreja e tinham-se mudado, recentemente, dos Estados Unidos para o Brasil, mas desejavam voltar para lá.

Logo vi uma oportunidade de espalhar o Evangelho para o mundo a partir de uma das mais influentes metrópoles do planeta. Mudei-me para Nova Iorque com o apoio do pai e das filhas portuguesas, já que tinham o domínio completo do idioma inglês e conheciam muito bem a cidade. Programei o início do trabalho evangelístico numa associação de ex-soldados de guerra em Mount Vernon, meia hora ao norte da cidade de Nova Iorque, mas tive que voltar às pressas para o Brasil.

A liderança do Soares e, principalmente, da sua administração espiritual estavam sob questionamento. Primeiro porque convidou diversos pastores de outras denominações para comporem o quadro de pregadores da Igreja Universal. Isso contrariava os meus princípios de fé. A mistura com o vinho velho azeda o novo. Os tais "pastores importados" traziam consigo uma fé viciada em costumes impróprios à fé inteligente. Não deu certo, claro. Segundo porque, por simples ineficiência de gestão, começaram a faltar recursos financeiros para saldar os compromissos da Igreja. Os funcionários do setor administrativo ligavam-me para Nova Iorque reclamando da falta de condições para pagar alugueres e outras despesas.

E o terceiro ponto de crise surgiu porque a pregação passou a ser muito personalizada, com centralização extrema na imagem do "Missionário R. R. Soares". Ele realizava apenas os cultos com o salão cheio e afastava-se do atendimento ao povo no calor humano do dia-a-dia. Tudo o que eu não fazia antes de ir para os Estados Unidos começou a acontecer no Rio de Janeiro.

Não tive opção. Voltei. A Ester e as crianças já tinham vindo antes para o Brasil. Interrompi o acordo para manter o meu ministério em funcionamento em Nova Iorque e fiz as malas. Não era mais possível que o Soares e eu dividíssemos da liderança da Igreja. No avião de volta para casa, pensei na conversa com o meu cunhado, dias antes da inauguração da Igreja Universal, quando decidimos repartir as responsabilidades.

— Soares, vamos formar uma Igreja nova que transmita vida e fé para o povo como nunca aconteceu antes. Vamos abrir as portas de um lugar que transforme as pessoas de verdade – disse-lhe eu, motivado. – Tu podes ser o presidente e eu, o vice – convidei.

— Eu não nasci para ser rabo, nasci para ser cabeça. Eu não nasci para ser mandado, nasci para mandar – respondeu ele, curto e grosso.

— Não importa. Eu quero ganhar almas – repliquei.

Oficialmente, na ata da Igreja, Romildo Soares era o primeiro--secretário e eu, o segundo-secretário. Mas tinha um acordo implícito de que nada poderia ser feito sem a concordância das duas partes. Hoje, olhando para trás, lembro-me que, em toda minha trajetória de fé, eu nunca pensei em ser o "chefe" ou o "líder" de nada, muito menos proprietário de uma emissora de TV para desfrutar de um cargo de comando. Eu sempre desejei ganhar almas. Ganhar almas para o Reino de Deus foi, é, e será sempre a minha obstinação. Não dou a mínima importância a cargos, posições ou coisas semelhantes. E, curiosamente, Deus colocou sobre os meus ombros responsabilidades jamais imaginadas.

Ao desembarcar no Rio de Janeiro, procurei o Soares para decidir o nosso futuro. De maneira respeitosa, debatemo--nos sobre os recentes acontecimentos.

— Edir, eu só quero crescer rápido – argumentou.

— Mas assim não vai dar, Soares. O povo está insatisfeito com as reuniões. Não dá para importar pastores para fazer a obra. Essas pessoas de fora estão cheias de vícios de pregação. Os pastores precisam nascer do nosso meio, serem formados pelo Espírito Santo no seio da Igreja.

— Eu não concordo com isso, Edir – insistiu.

— Então não podemos continuar juntos. Vamos organizar uma votação para decidir quem fica. Se tu fores eleito, eu vou-me submeter com uma condição: o apoio da Igreja à obra missionária em Nova Iorque. E o mesmo contigo. Se eu for eleito, a Igreja vai dar-te apoio no teu trabalho evangelístico – concluí a conversa, com a concordância de Soares.

Convocámos os 15 pastores para uma assembleia extraordinária para decidir a nova liderança da Igreja Universal. A votação ocorreu no sábado, dia 7 de junho de 1980, no bairro da Abolição. O então pastor Renato Maduro fez a contagem dos votos. O atual bispo Paulo Roberto Guimarães e o ex-bispo Carlos Rodrigues também participaram da eleição. Eu tinha terminado de celebrar o casamento de Paulo Roberto quando corremos para a votação.

Antes de iniciar a votação, oramos. Em seguida, pedi que cada um examinasse a si mesmo e consultasse o Espírito Santo para dirigir o seu voto, afinal, ele foi-nos enviado pelo Senhor Jesus para guiar os seus servos.

Um dos pastores recolheu os papéis com os votos. Renato Maduro leu, um a um, os resultados:

— Pastor Macedo! – anunciava, com ênfase, mostrando o voto para Soares.

— Missionário Soares – leu, em tom mais baixo.

— Pastor Macedo! Pastor Macedo! Pastor Macedo!

Resultado final: doze votos a meu favor e três contra. Daquele dia em diante, Soares, profundamente dececionado, desligou-se da Igreja e partiu para realizar o seu trabalho religioso com os direitos autorais dos livros do reverendo Thomas Lee Osborn.

A partir de então, provisoriamente, abortei os planos de ida para os Estados Unidos. Permaneci com os meus companheiros na continuidade da construção da Igreja Universal idealizada, sob a instrução do Espírito Santo, desde as primeiras pregações no coreto do Méier.

Os mortos da funerária

Manhã de sábado, dia 9 de julho de 1977. Avenida Suburbana, 7.248. O bairro carioca da Abolição amanheceu agitado com a intensa movimentação no antigo espaço da funerária. Carros estacionavam, vaivém de peões nos passeios, autocarros desembarcando pessoas nas paragens mais próximas. Era o primeiro culto da Igreja Universal do Reino de Deus.

Acordei cedo, coloquei o meu melhor fato, organizei a Bíblia e parti para a primeira reunião do meu novo ministério. Estava eufórico e feliz. Deus tinha atendido às minhas súplicas. O culto foi de libertação, curas e pregação dos ensinamentos para a conquista da vida eterna. A minha cabeleira e a minha barba suavam com o calor do abafado salão. Desde jovem, não tinha mudado a aparência mesmo tornando-me pregador. Era o que eu era, e esta transparência no modo de ser e agir chamava a atenção dos que me conheciam.

Dias antes, passámos as madrugadas cuidando do mínimo para o funcionamento do imóvel. Pintámos as paredes, descascámos o chão, consertámos as casas de banho, produzimos uma limpeza geral. Os carpinteiros contratados a custo de mão-de--obra encerravam os últimos ajustes do altar e do púlpito. Os bancos de madeira, comprados a prestações a perder de vista, estavam posicionados para receber o novo público.

Como era prática comum, desde o coreto do Jardim do Méier e as campanhas nos cinemas alugados na região, percorremos as ruas da Abolição e das áreas vizinhas espalhando panfletos e convites para o culto de inauguração.

No domingo, meditei em Abraão, o pai da fé, um dos meus referenciais mais consideráveis da Bíblia. Ele foi um idealista como sempre procurei ser. E abandonou tudo em obediência à voz de Deus. O chamado dele foi audível para quem tem ouvidos espirituais. "Disse o Senhor a Abraão: sai da tua terra, da tua parentela e da casa de teu pai e vai para a terra que te mostrarei; de ti farei uma grande nação, e te abençoarei, e te engrandecerei o nome. Sê tu uma bênção!" (Génesis 12.2).

O patriarca recebeu a promessa de ser pai, o ponto de origem, de uma nação inteira quando, casado com a estéril Sara, ainda nem sequer conseguira gerar um filho. E quando vieram os receios e as dúvidas, Deus animou Abraão com uma imagem disponível até hoje para quem tem olhos espirituais. "Então, conduziu-o até fora e disse: Olha para os céus e conta as estrelas, se é que o podes. E lhe disse: Será assim a tua posteridade" (Génesis 15.5).

A minha história seguia o exemplo de Abraão. Quantas vezes como evangelista, e antes mesmo, a partir do meu novo nascimento, no Rio de Janeiro, abria a janela de casa à noite e observava as mesmas estrelas vistas por Abraão. Elas mantêm-se firmes no céu, não apenas para serem admiradas, mas, sobretudo, para testemunharem como a Palavra do Deus de Abraão se cumpre hoje, da mesma forma como se cumpriu no passado.

Eu tinha-me arriscado ao abandonar tudo para seguir a voz de Deus. Lutava para ser visionário assim como Abraão foi. E vislumbro até hoje esta saga idealista. O visionário tem novas ideias e descortina novos horizontes. A própria filosofia moderna, em parte das suas doutrinas, define o idealismo como uma teoria segundo a qual o mundo material só pode ser compreendido plenamente a partir da sua verdade espiritual. O idealista usa a sua capacidade de inteligência para realizar.

Do sábado da abertura da Igreja Universal aos dias atuais, esta é e sempre será a minha sina, e o meu maior legado. Assim como Abraão, devemos usar a fé inteligente, assimilada na mente, para conquistar as promessas de Deus. Foi este idealismo conduzido pelo Espírito Santo que passou a atrair, semana após semana, uma surpreendente multidão ao antigo salão da funerária. Não demorou muito para a Igreja se tornar pequena, tamanha a quantidade de fiéis.

Apesar de tantas humilhações sofridas, eu ainda estava ligado à Cruzada do Caminho Eterno, liderada por Samuel Coutinho e Romildo Soares. Coutinho continuava como presidente, mas os dois já demonstravam claros sinais de dissidência. Fiquei preocupado em desperdiçar todo o esforço empenhado no prédio da funerária numa possível disputa futura e, no documento oficial, registei a instituição como Igreja da Bênção. Mas para mim e para os membros daquele tempo, já vivíamos os primeiros dias da Igreja Universal.

Numa noite de sexta-feira, Coutinho surgiu de susto na Igreja, acompanhado de mais três auxiliares.

— Edir, esta Igreja é minha! Você não pode tomar conta dela sozinho – gritou comigo.

Apesar de ter o seu nome registado no estatuto da fundação, o Soares era ausente naquele período. Estava envolvido com negócios particulares e um trabalho missionário em São Paulo. Ele nem imaginava que o Coutinho tinha invadido a ex-funerária para nos roubar a Igreja. Foi o meu basta.

— Coutinho, tu só queres a Igreja porque ela está cheia. Esta Igreja é do povo, é de Deus, tu não podes tirá-la de nós – respondi, enquanto se agrupavam obreiros e evangelistas, indignados com a postura ofensiva do presidente da cruzada do caminho eterno.

Houve uma ameaça de tumulto até que o Coutinho e os seus parceiros deixaram o bairro da abolição. Ali, aconteceu o nosso rompimento definitivo e oficial. A última vez que encontrei Samuel Coutinho, dois anos depois, foi nos arredores da Rádio Metropolitana, em Inhaúma. Assim que a Igreja Universal passou a alugar horários na Metropolitana e atrair multidões, as demais denominações correram para nos copiar.

— Tu tiraste-me aquela Igreja, Edir! – gritou novamente, ao ver-me no corredor da rádio, empurrando-me com as mãos e ameaçando-me de agressão física.

A funerária, de facto, marcou a época. Foi lá também que fui consagrado a pastor no dia do meu aniversário, em 18 de fevereiro de 1978. Completava 33 anos. 'Seu Albino' foi quem me presenteou com o fato que vesti naquela cerimónia tão especial.

Uma foto histórica, a preto e branco, registou a Ester, eu e as minhas filhas ao lado da família do 'Seu Albino' ao fim do culto da minha consagração. Foi um momento inesquecível. Assim como quando o Espírito Santo nos deu a inspiração de transmitir um recado claro e objetivo nas portas e nos altares da Igreja Universal.

— Por que não colocar uma inscrição na fachada do prédio e na parede do altar com o anúncio do que cremos? – perguntei a alguns obreiros reunidos comigo dentro da funerária.

"Jesus Cristo é o Senhor" transformou-se numa frase símbolo do nosso movimento de fé. Pensei em como me dececionei ao ver a presunção do homem em diversas congregações e instituições repletas de religiosidade. Em muitos destes lugares, observava a placa cravada na porta do templo: "Igreja tal construída para a glória de Deus pelo missionário tal". Ou seja, uma glória para Deus e outra para o fundador. Isso provoca-me náuseas. E era o que me obrigavam a engolir nas Igrejas Nova Vida e Cruzada do Caminho Eterno.

Decidi fazer diferente. Nada de bispo Macedo ou qualquer outro bispo fundador em evidência. Na Igreja Universal, apenas Jesus Cristo é o Senhor. Isso não significa falta de reconhecimento aos que nos ajudaram no início desta jornada. Lembro-me com respeito e saudades daqueles homens e daquelas mulheres de fibra. Sempre peço aos pastores atenção espiritual especial às nossas "pratas da casa".

Membros ou obreiros que contribuíram de alguma maneira, por mais simples que seja, para fazer a Igreja ser o que é hoje. Dos que pintavam as paredes, esfregavam as casas de banho e doavam ventiladores, cortinas e enfeites

de flores aos que erguiam os bancos de madeira, prega-
vam as primeiras letras da inscrição no altar e que oravam
e atendiam o povo. Todos construíram um tijolinho na
obra de Deus.

Sabemos das mãos de Deus em todo esse trabalho e só
por isso, unicamente por isso, é que chegamos aonde chegamos. Mas reconhecer o esforço de quem nos amparou nos
nossos primeiros passos é fundamental. Por isso, aprovei a
ideia de uma equipa de documentaristas, que prepara um
programa especial sobre o Templo de Salomão, de levar alguns dos nossos primeiros colaboradores para conhecer esse
projeto inédito em todo o mundo. 'Seu Albino' foi um dos
escolhidos. Os jornalistas contaram-me sobre a gratidão e
a felicidade dele ao ver de perto o templo, recordando, ao
mesmo tempo, mais de três décadas atrás, o dia em que encontrou o pequeno salão da funerária para ser alugado.

Selecionei um pequeno excerto das gravações do repórter com 'Seu Albino' no terreno do Templo de Salomão, no
Brás, em São Paulo.

*Repórter: 'Seu Albino', de 89 anos, um dos pioneiros da
Igreja Universal, veio do Rio de Janeiro, onde mora, especialmente para conhecer as obras do Templo de Salomão. A nosso
convite, neste momento, será um dos primeiros fiéis a conhecer
o lugar. O que está a achar, 'Seu Albino'? Emocionado?*

*Albino: É... Realmente é uma coisa fora de série... Que coi-
sa, é de impressionar a grandiosidade do lugar. (Silêncio, ad-
mirando as colunas laterais de 30 metros de altura.)*

Albino: Vocês foram a Israel para se inspirar?

(Pergunta ao arquiteto responsável pela obra ao olhar a maqueta com a réplica do templo.)

Arquiteto: Sim. Nós estivemos várias vezes lá. Eu, por exemplo, fui seis vezes, mas infelizmente o templo já não existe. Hoje o que existe do templo é o Muro das Lamentações e algumas pedras. Aliás, usaremos no Templo de Salomão as mesmas pedras que foram usadas no templo lá... São as pedras de Hebron, em Israel. A ideia do bispo Edir Macedo foi trazer um pedaço de Israel para cá para que, quando as pessoas tocarem nas paredes, elas possam orar. Um pedaço de Israel no Brasil.

Albino: É impressionante mesmo... Será a maior Igreja do Brasil?

Arquiteto: Acho que sim. Não é maior do que a capacidade da Catedral de Del Castilho, na avenida onde o Senhor ajudou a começar a Igreja Universal, mas em espaço físico e importância será única. Principalmente porque já não existe o Templo de Salomão, apenas sobrou o Muro das Lamentações. Nós vamos deixar o ambiente o mais próximo possível do templo original, mas aqui será climatizado e iluminado. Ninguém verá dutos de ar-condicionado, nem candeeiros, mas teremos tudo.

Albino: Uau! Vai ficar lindo! E quando ficará pronto?

Arquiteto: A previsão é para Maio de 2014, mas pode ser que termine antes.

Repórter: Quantas lembranças, hein, 'Seu Albino'? O início foi bem diferente, não é?

Albino: Eu faria tudo de novo, tenho muita satisfação... Não imaginava que a Igreja fosse crescer tanto, de maneira nenhuma. Deus é muito grande.

(Olhos molhados, tocando nas paredes de cimento, caminhando com dificuldade pelas construções do templo.)

Ao diálogo completo, é claro, será possível assistir na Rede Record, nesse documentário preparado para o período de inauguração da obra. Mas o que fica é o meu agradecimento especial e sincero ao 'Seu Albino' e a tantos anónimos que nos auxiliaram. Tenho certeza de que a recompensa maior deles está reservada no céu.

O mais marcante daquele período é ver o passado e entender os motivos para a Igreja Universal começar a sua existência, simbolicamente, numa funerária. Impossível não lembrar da reflexão do salmista sobre a vocação de Deus: "Ele ergue do pó o desvalido e do monturo, o necessitado, para o assentar ao lado dos príncipes" (Salmo 113.7,8).

Quantos mortos em espírito foram ressuscitados no lugar em que se preparavam os cadáveres para o velório e o enterro? Como a profecia de Ezequiel, no Vale dos Ossos Secos, assim aconteceu com a Igreja Universal e comigo naquele ex-salão de defuntos. "Assim diz o Senhor Deus a estes ossos: Eis que farei entrar o Espírito em vós, e vivereis" (Ezequiel 37.5).

O bispo Renato Maduro, um dos nossos primeiros obreiros à época, foi outro dos ossos secos juntados pelo poder de Deus. Ele chegou à Igreja Universal dentro da funerária. Literalmente. Era um homem morto pelo incontrolável e devastador vício das drogas. Eu vi-o pela primeira vez ao entrar na Igreja e, como um irmão, acompanhei de perto a sua penosa libertação e o seu crescimento como Homem de Deus. A sua morte, a 12 de dezembro de 2010, fez-me lembrar disso. Como ele, o Deus da funerária resgatou milhares de pessoas naquele singelo e remoto galpão. Maduro dedicou a sua vida a recuperar almas sofridas.

Padeceu, lutou, gemeu, sacrificou a sua juventude. Venceu. Maduro morreu sorrindo. Para onde foi a sua alma?

Ali, naquele instante, na ressurreição dos "mortos" da funerária, começou a Igreja Universal que conhecemos hoje. Tudo isso era minúsculo, algo muitíssimo pequeno perto de tantas situações extraordinárias que viveríamos. Incontáveis batalhas que nos colocaram entre a vida e a morte, mas inúmeros triunfos fora do comum. Centenas de países, milhares de pastores, milhões de obreiros e membros fiéis. Uma Igreja pulsando fé e vida. Almas ganhas para o Reino de Deus.

O meu Tudo

Concluo esta primeira obra das minhas memórias já reservando para o próximo livro outros segredos espirituais jamais revelados da minha trajetória, com um questionamento: o que existe de mais importante neste mundo depois que eu alcancei o encontro com Deus, recebi o Espírito Santo e abdiquei da minha vida integralmente no altar? Nada mais tem préstimo, as coisas perdem o sentido. Os valores que levam muita gente a se digladiar até a morte não têm a menor importância para mim. Passaram a não significar absolutamente nada. Sucesso, dinheiro, posição, estatuto, reconhecimento, poder. Encontrei um bem tão formidável que tudo nesta terra passou a ser porcaria.

Um dia, em certa entrevista, um repórter perguntou qual era o meu segredo para tantas realizações. Pensando que responderia com uma dissertação filosófica ou uma tese discursiva, surpreendeu-se com a minha objetividade.

— Dar. Simplesmente dar — retorqui, seco.

Tão simples, tão banal, tão comum, mas extremamente difícil de praticar, especialmente para quem tem o coração preso aos princípios que controlam a humanidade. A minha resposta nada mais é do que a promessa feita pelo Senhor Jesus: "Dai e ser-vos-á dado..." (Lucas 6.38). Desde os meus dias de luta pela conversão, aprendo esta lição a cada momento vivido. É uma aprendizagem renovada em todo o novo amanhecer: quanto mais damos, mais recebemos. Não existe outro segredo.

A minha vida é um exemplo real desse simplório e revolucionário conceito de sucesso. Tenho responsabilidades jamais imaginadas por mim no passado, desde a época de evangelista nos cinemas e nas praças do Rio de Janeiro, em que, solenemente, era obrigado a anunciar a oratória de pastores e missionários com uma vaidade anormal. Dedico 24 horas da minha rotina à Igreja e também à gravação de mensagens de fé para as empresas de comunicação que só têm razão de existir porque divulgam a Palavra de Deus. O trabalho espiritual tornou-se tão robusto, com presença múltipla e atuação tão ampla em tantas frentes, e em todo o planeta, que muitos não acreditam na extrema simplicidade como conduzo a minha vida com a Ester.

Esta é a vida do pastor da Igreja Universal. Como João Batista, habitante solitário do deserto, que se alimentava de gafanhotos e mel silvestre, e não tinha nada. Ou melhor, nada e tudo ao mesmo tempo, porque mantinha-se fiel a Deus, pregando arrependimento e preparando a chegada do Senhor Jesus, salvador dos homens.

Assim conduzo o meu dia-a-dia: "preso" na Igreja a serviço integral do nosso Deus. Muitos até insistem em afirmar os meus direitos de desfrutar os encantos e deleites desta terra, mas isso não mexe comigo. Não satisfaz o meu espírito. Tenho tudo, mas não tenho nada. A Igreja Universal, a Rede Record, a minha esposa, os meus filhos, a minha vida, enfim, nada me pertence. Tudo parece ser meu, mas, na verdade, é emprestado.

Agora é possível entender uma oração que fiz, numa noite de quarta-feira, no dia 5 de Fevereiro de 2010, em Santo Amaro, em São Paulo. Horas antes, tinha meditado sobre Manassés, rei de Judá, estadista comandante de uma era de crimes, abominações e tantas outras perversidades. Manassés chegou a sacrificar os seus próprios filhos para os demónios apenas para irritar Deus. Mesmo assim, na hora do suplício e da vergonha, quando se arrependeu e se humilhou, o Senhor ouviu a sua voz, tamanha a Sua misericórdia.

Se Manassés foi recuperado, não existe ser humano irrecuperável. Não existe situação impossível para Deus.

Meu querido Pai, eu sou pai, eu sou filho, eu sou irmão, eu sou marido. Eu sinto, meu Senhor, as dores da humilhação que o Teu povo sente porque a gente sabe o que é humilhação. Aqui estão os gemidos do Teu povo. Eu digo gemidos porque às vezes faltam palavras.

Ó, meu Pai, Tu ouviste a oração de Manassés, que foi perverso, cruel, imoral e agressor. Ele agrediu-Te, desafiou-Te e gozou de Ti. Fez tudo o que não temos feito. Mesmo assim, quando se humilhou, o Senhor desceu naquele lugar e atendeu a sua súplica.

Olhe para cada um de nós agora. O que temos feito? Em que Te temos desagradado? Seja lá o que for, Senhor, nós não somos perfeitos, mas não somos como ele foi. Essa é a realidade. Não somos, mas nos humilhamos diante de Ti agora, meu Senhor, como ele se humilhou. No pó.

Porque nós, Teus servos, pastores, bispos também trazemos gemidos, vergonha e dor dentro da nossa alma. E às vezes temos de fortalecer as pessoas quando nós mesmos estamos fracos, fragilizados pelas circunstâncias.

Ouve, meu Pai, ouve do céu agora e responde o Teu povo porque o Senhor não é Deus de pau e de pedra. O Senhor é verdadeiramente Deus. Espírito e Verdade. Sob a Tua palavra, nós estamos a colocar as nossas vidas no altar. Nós unimos a nossa voz, nossos gritos, nossa fé. Pastores, obreiros, povo, todo mundo, num só espírito, num só clamor, invocando um só Senhor – o Deus de Abraão, de Isaac, de Israel.

Ó, vem neste momento, meu Pai, manifestar a tua glória e trazer a resposta que procuramos há anos. Nós não temos a quem recorrer. Há dor no nosso peito, a dor da humilhação, meu Pai.

Meu Senhor, tudo o que nós, Teus servos, queremos é Te agradar, Te servir. Nós não ligamos para a porcaria, o lixo desse mundo. Não ligamos para porcaria nenhuma!

Nós não temos nada a perder porque não temos nada! O que nós temos é a nossa vida no Teu altar!

Vem ao encontro das nossas dores, dos nossos gemidos. Não temos a quem clamar, não temos a quem recorrer. Nós só te temos a ti Jesus. Ó, vem meu amigo, meu Pai... Vem sobre nós e tira a vergonha de dentro do nosso peito.

Tira, meu Pai. Tira tudo isso... (choro)

...porque não sabemos mais o que fazer, meu Senhor. (choro e soluços)

Não sabemos mais como agir. Vem, meu Senhor. Sim, Senhor, se quiser tira a nossa vida de uma vez, meu Pai. Eu não tenho prazer em viver assim, meu Senhor, de humilhação em humilhação. Não há prazer, meu Pai... Se tu me levares agora, que favor me farias.

Eu não sei mais o que dizer. Eu só trago dentro de mim essa dor. (choro)

Nós estamos sob a Tua palavra, meu Senhor. Quando eu me levantar deste chão, eu quero ter a certeza absoluta de que me ouviste e respondeste. Eu quero ver, meu Senhor, a Tua glória na face do Teu povo. Eu quero ver o Teu povo com riso, com brilho nos olhos. Eu quero ver alegria no coração do Teu povo.

Ó Espírito Santo, nós colocamos as nossas vidas diante de ti. Julga o Senhor a nossa causa, julga o Senhor da mesma forma como jugaste a causa de Ana, como julgaste a causa dos Teus servos no passado. Em nome de Jesus eu Te peço, eu Te suplico que se levantem dos seus leitos de dor os doentes, os enfermos. Que sejam curados os cancerosos, os paralíticos, cegos, surdos.

Sejam livres agora os que me ouvem neste momento e fique sabido que o Deus de Abraão, Isaac, Israel é o nosso Deus.

Ele ouve o nosso clamor, é o Deus da Igreja Universal do Reino de Deus. É o Deus que tem levado e sustentado este trabalho.

Recebe o Espírito Santo, tu que tens sede e queres ser saciado agora. Sê batizado com o Espírito Santo, tu que não entendes muito, mas que queres ter um encontro com Jesus.

Ele manifesta-se a ti aí neste momento. Conhece o Jesus que temos pregado, conhece o Deus que temos anunciado. Recebe agora, neste momento, o Deus vivo, o Deus de Abraão, de Isaac, o Deus de Israel, em nome do Senhor Jesus.

Esta oração é a minha vida no altar.

Como disse Deus, não tenho nada a perder.

Sou líder espiritual de uma Igreja atualmente em mais de 200 países e proprietário da segunda emissora de televisão do Brasil, com alcance para mais de 200 milhões de telespectadores no planeta, jornais, emissoras de rádios, entre tantos outros projetos e atividades tão importantes. Uma esposa exemplar e filhos que me enchem de satisfação. Um verdadeiro império de realizações.

Tudo isso somado, no entanto, não chega aos pés da minha maior riqueza. Nada vale mais do que a minha relação íntima com Deus. O meu Deus, o Espírito Santo, ocupa o espaço mais nobre do meu ser. Ele é o meu tesouro mais valioso. A minha alegria. O meu conforto. O meu Senhor nas guerras. A minha esperança. A minha realização. A minha salvação.

O meu Tudo.